BIBLIOTECA BREVE

DE BOLSILLO

Libros de Enlace

86

JUAN GOYTISOLO

FIN DE FIESTA

TENTATIVAS DE INTERPRETACIÓN
DE UNA HISTORIA AMOROSA

Biblioteca Breve de Bolsillo
SEIX BARRAL

Primera edición: 1962
(Biblioteca Formentor)

Primera edición
en Biblioteca Breve de Bolsillo: 1971
Segunda edición: diciembre de 1974
Reimpresión: junio de 1978

© *1962 y 1974: Juan Goytisolo*

Derechos exclusivos de edición
reservados para todos los países de habla española:
© *1962 y 1974: Editorial Seix Barral, S. A.*
Provenza, 219 - Barcelona

ISBN: 84 322 1822 7
Depósito legal: B. 19.747 - 1978

Printed in Spain

A Maurice Edgar Coindreau

Cuando llegaron, la temporada declinaba. El sol ya no pegaba fuerte como en julio, por la mañana soplaba un ventolín fresco que anticipaba las brisas de otoño y los días comenzaron a acortarse. Bajaron del autobús cargados de maletas, bolsos, cestos de mimbre y un misterioso objeto envuelto en una funda de lona que el revisor depositó con visible esfuerzo en la acera. Los mozos y chiquillos que andaban por el paseo a aquella hora lo habían observado llenos de curiosidad. El bulto tenía aproximadamente un metro de altura y en la parte posterior, la lona formaba una especie de cresta. Al volver del hotel, después de transportarlo, el marido de la Daniana dijo que era una máquina de coser.

—¿Una máquina de coser? ¿Para qué?

En el pueblo nos lo preguntamos todos. Habíamos visto hasta entonces extranjeros con aparatos fotográficos, radios de pila, cámaras de cine... incluso, cierta magnetofones, pero ¿a quién diablos iba a ocurrírsele pasarlas vacaciones con una máquina de coser? Por otra parte, el hecho de que hubieran llegado en el autobús y no por sus propios medios, como los demás clientes del hotel, intrigaba. [...] os turistas que venían en el coche de línea solían parar en la fonda. Ninguno —que yo recuerde— había ido a vivir al hotel. Mientras nos servía la comida, madre quiso saber qué señas tenían, en qué idioma hablaban...

—No lo sé —repuso.

Y lo malo era que tampoco había manera de saberlo. El personal del hotel estaba demasiado orgulloso de los... ropas doradas de su anverso [...]

PRIMERA

Cuando llegaron, la temporada declinaba. El sol ya no pegaba fuerte como en julio, por la mañana soplaba un ventolín fresco que anticipaba las brisas de otoño y los días comenzaron a acortarse. Bajaron del autobús cargados de maletas, bolsos, cestos de mimbre y un misterioso objeto envuelto en una funda de lona que el revisor depositó con visible esfuerzo en la acera. Los mozos y chiquillos que andaban por el paseo a aquella hora lo habían observado llenos de curiosidad. El bulto tenía aproximadamente un metro de altura y, en la parte posterior, la lona formaba una especie de cresta. Al volver del hotel, después de transportarlo, el marido de la Damiana dijo que era una máquina de coser.

—¿Una máquina de coser? ¿Para qué?

En el pueblo nos lo preguntábamos todos. Habíamos visto hasta entonces extranjeros con aparatos fotográficos, radios de pila, cámaras de cine e, incluso, cinta magnetofónica, pero ¿a quién diablos iba a ocurrírsele pasar las vacaciones con una máquina de coser? Por otra parte, el hecho de que hubieran llegado en el autobús y no por sus propios medios, como los demás clientes del hotel, intrigaba. Los turistas que venían en el coche de línea solían parar en la fonda. Ninguno —que yo recordase— había ido a vivir al hotel. Mientras me servía la comida, madre quiso saber qué facha tenían, en qué idioma hablaban...

—No lo sé —repuse.

Y lo malo era que tampoco había manera de saberlo. El personal del hotel estaba demasiado orgulloso de los botones dorados de su uniforme para dignarse de dirigirnos la palabra. Testigo de la existencia feliz de los ricos, no quería compartir su secreto con nadie.

—¿Cómo son? —suspiró mi madre—. ¿Jóvenes? ¿Viejos?

Expliqué que la mujer aparentaba treinta años y el hombre veintitantos. Los dos eran altos y de ojos azules, vestían pantalones tejanos y camisa de seda y calzaban alpargatas de pescador. Pero madre no se dio por satisfecha y me interrogaba sobre el equipaje. ¿De qué forma eran las maletas? ¿Cuántas había? Alguien le había dicho que dieron buena propina al marido de la Damiana y sus ojillos redondos, de iris acuoso, brillaban de excitación.

—Deben de ser gente fina, estoy segura. Si te hicieses amigo suyo y viniesen a casa...

Madre era así. Desde su viudez se pasaba el día entero imaginando acontecimientos que cambiarían brusca y favorablemente nuestra suerte. La clientela del hotel la obsesionaba y, cada vez que venía un nuevo huésped, proyectaba invitarle a comer y alquilarle la habitación a un precio fantástico.

—En el hotel cobran trescientas pesetas de pensión. Tal vez cuatrocientas. Yo se lo haría por doscientas cincuenta y comerían carne toda la semana. Y torrijas. Y arroz con leche y canela, como te gusta a ti... Debieras decírselo, hijo. Si buscan un sitio tranquilo, les resultará más barato.

Estaba acostumbrado ya a sus ensoñaciones y la oía como quien oye llover. Mi madre no se preocupaba nunca por convertir sus proyectos en realidades. Le bastaba sentirse rica por espacio de unas horas, forzar el círculo de los privilegiados clientes del hotel. Su vida se alimentaba de revistas de cine y seriales radiofónicos y había llegado a abstraerse de cuanto ocurría a su alrededor.

Yo, aquel verano, sólo pensaba en Ramón. Por la mañana, mientras él alquilaba el bote a los turistas y se divertía enseñando a nadar a las extranjeras, me llevaba los libros de estudio a la playa y fingía repasar las asignaturas bajo los parasoles del hotel. Madre me había matriculado en un colegio de religiosos de Granada y, por consejo de los Padres, debía repasar los manuales de sexto curso para estar a la altura de los otros. Durante horas y horas espiaba el movimiento de los bañistas. De vez en cuando, me zambullía en el agua y buceaba unos minutos lo mismo que un pez. El tiempo transcurría insensiblemente. La fachada circular del hotel brillaba como el puente de mando de un gran trasatlántico, el mar embestía contra las rocas del promontorio y la calina emborronaba el pueblo a lo lejos. Cuando me daba cuenta, era la hora de comer.

Tarde y noche —en cambio— disponía del tiempo libremente. Ramón me esperaba junto al bote o bebiendo un trago en el chamizo y le ayudaba a remallar las redes del copo o cebar los anzuelos del palangre. La playa del otro lado del cabo me ha gustado siempre más que la del pueblo: su horizonte es más amplio, la arena más gruesa y los chiringuitos de cañizo y las barcas le dan mayor vida y actividad. Desde allí, las colinas se entrelazan hasta perderse de vista, el cielo parece un inmenso lago azul y los chirimoyos y las cañas forman un espeso telón tras el camino, partido en dos por la chimenea de la azucarera.

Al atardecer, cuando los últimos bañistas volvían al hotel, Ramón aparejaba la barca y aproaba hacia los farallones. Era un remero excelente y, a cada bogada, la playa se reducía como en escorzo. A mí me agradaba verle mientras hundía la pala en el agua, con los músculos tensos por el esfuerzo. Pensaba que, cuando fuese mayor, me gustaría tener un cuerpo como el de él. Ramón había vivido en el mar desde niño y conocía la costa palmo a palmo. Llegado al caladero, sacaba los cordeles del talamete y me pasaba los remos a mí. Era el momento de largar el palangre, ciando lentamente para que el cordel no se enredara. Cuando las piedras tocaban al fondo y los corchos reaparecían en la superficie, Ramón bogaba hacia la caleta y, aguardando la hora de cobrar, aliñábamos el tiempo charlando, entre

11

cigarrillo y cigarrillo.

Los días que el mar estaba picado y no podíamos salir de pesquera, Ramón cogía el rastrillo e íbamos a mariscar por la playa. A veces, mi madre preguntaba por qué volvía tan tarde, qué hacía durante todo aquel tiempo. No había medio de meterle en la cabeza que en el mar uno no tiene un minuto para aburrirse. Siempre hay que coser una red, achicar el agua de un bote, sirgar una jábega sobre los parales. Se lo había dicho cuarenta veces, con la esperanza de convencerla, pero mis explicaciones eran siempre inútiles. Madre se cerraba de cal y canto y, como de costumbre, rompía a hablar de los clientes del hotel: ¿por qué no ligaba amistad con ellos, en lugar de alternar con los pescadores? Quizás había algunos descontentos de la cocina y aceptarían mi proposición encantados. Nuestra suerte podría cambiar. Al fin, cansado de soportar sus fantasías, escampaba e iba a buscar a Ramón al café.

Los hombres se reúnen allí después de la cena, a beber un vaso de tinto y jugar al rentoy. Otros pegan la hebra en los bancos del paseo o duermen la mona encima de la baranda. En el pueblo hay muchos borrachos, y, por las callejas que suben al cerro, se les oye vocear y cantar hasta las tantas de la noche. Yo me sentaba en la mesa de los jugadores y escuchaba su conversación. Hablaban de pesca, del estado del mar, de la próxima cosecha de caña. A menudo, comentaban el físico de las bañistas y bromeaban con Ramón.

—Si necesitas ayuda —le decían—, acuérdate de nosotros. Siempre estamos al quite.

A principios de verano una alemana larguirucha estuvo a punto de ahogarse entre las rocas y Ramón la rescató del fondo sin sentido y le hizo la respiración artificial. Agradecida, la mujer le regaló un reloj. Desde entonces, sus amigos pretendían que había abusado de ella y le colgaban la etiqueta de donjuán.

—Pues no te aprovechaste poco ese día —suspiraba el

marido de la Damiana.

—¿Aprovecharse, de aquel palo? —cortaba uno que le decían Heredia—. Si no hay ná que aprovechar. Escurría como un pez, sin ná en la delantera... Se la come uno en viernes, y ni siquiera es pecao.

El único que callaba era Ramón. En realidad el parloteo de los otros le aburría y prefería charlas a solas conmigo cuando íbamos a pescar. Me había confiado en una ocasión que tenía una amiga en Motril y, pese a su acento desenvuelto al decirlo, estaba seguro de que acabarían por casarse.

—¿Cómo es tu amiga? —le preguntaba los días en que se iba en bicicleta del pueblo, algo celoso de sus escapadas, y Ramón sonreía enseñando los dientes y me revolvía el pelo con la mano.

Aquella noche, apenas comenzado el rentoy, Heredia señaló hacia el paseo y dijo:

—Fijaos quién viene.

Todos nos volvimos a mirar. Los extranjeros que habían llegado por la mañana en el coche de línea caminaban enlazados bajo las palmeras, la cabeza de ella contra el hombro de él. Por espacio de unos instantes se habían parado a contemplar la luna que emergía sobre el promontorio como un globo redondo e iluminado; después, cortando en ángulo recto, se dirigieron al café.

—¿Al café? —exclamó mi madre al enterarse, con las mejillas rojas de excitación—. ¿Por qué, al café?

Ninguno lo sabía. Generalmente, después de cenar, los clientes del hotel van a bailar a los jardines de la piscina y no se aventuran a mezclarse con nosotros. Pero no era esto, a fin de cuentas, lo que nos había sorprendido, sino su modo de comportarse. Al entrar, la mujer había reconocido al marido de la Damiana y le sonrió. El hombre pidió dos vasos de coñac. «Que sean grandes», dijo. Aprovechando la cercanía les observé con detenimiento. La mujer era rubia, de rasgos regulares y cierto desgarro en la mirada que la hacía muy atractiva. El hombre, pelirrojo y pálido, y daba la impresión de que toda la sangre se le hubiese refugiado en los cabellos. Mientras duró la partida permanecieron callados, con las manos unidas sobre la mesa. Al acabar el vaso de coñac, pidieron otro. Aunque lentamente, los dos hablaban en español. Los pescadores miraban los hombros desnudos de la mujer y su insistencia no parecía molestarles. De vez en cuando, el hombre sonreía. Luego pagaron al chico y se perdieron en el paseo. Madre dijo que, seguramente, se aburrían en el hotel.

Al día siguiente hizo mucho calor. Por la mañana fui a la playa temprano y los encontré tendidos frente a los toldos, con el cuerpo untado de crema. El hombre llevaba un calzón estampado de flores y la mujer un traje de baño de dos piezas que dejaba al descubierto su estómago. Acodados en la baranda del paseo, un grupo de pescadores la miraban.

El calor no me permitía fijar la atención. Varios veces intenté abrir el libro de matemáticas y otras tantas tuve que cerrarlo, incapaz de soportar el esfuerzo. La calina empañaba la nitidez del paisaje y, amodorrado, contemplaba los tumbos del mar sobre la arena. Pasaron dos jábegas de regreso del copo. El horizonte era una borrosa línea azul. La mujer nadaba enérgicamente hacia las rocas y, al llegar a uno de los cabezos, saludó en dirección a la playa. El hombre le contestó de igual manera. Estaba sentado sobre una toalla de colores, cortando las páginas de un libro, y se puso de pie.

—¿Hay medusas? —dijo.

Le contesté que no, que no había. El hombre, entonces, me mostró unas cicatrices que le marcaban el empeine del pie. Tres rayas delgadas, oscuras, paralelas.

—¿Se lo hicieron aquí?

—No aquí. En Italia.

Continuó hacia la orilla y se remojó el pelo con la mano. La mujer seguía braceando desde el cabezo. Le invitaba a venir junto a ella, pero el hombre dijo que no. Los mirones se habían dispersado poco a poco en busca de otras turistas y me zambullí en el mar. El dueño del chamizo me había prestado su equipo de pesca submarina y fui buceando hasta el cabo. Cuando volví, la pareja había desaparecido.

Los mejores momentos del verano los pasaba con Ramón, cuando sus amigos le reclamaban y se embarcaba en algún boliche. La pesca al copo es mucho más emocionante que al arrastre. Yo me quedaba en la playa guardando el tiro, mientras él largaba la red desde la barca y daba la vuelta para dejar el otro cabo en la orilla. El arte se cobra desde tierra y, a medida que se hala, aparecen los ramales, el tamaño de las redes se achica y los peces enmallados en el copo se agitan y dan brincos. La gente de los merenderos se acercaba a mirar, y yo me sentía a gusto en medio de los hombres que tiraban a estrepadas, con el cuerpo tostado por el sol y el rostro encendido por el esfuerzo. En el copo había jureles, lisas, bogas, caballas, sardinas. Las mujeres vaciaban el pescado en las cajas y yo ayudaba a los hombres a sirgar el boliche.

Cuando, la misma tarde, vi a los extranjeros mezclados con el corro de curiosos, su presencia me halagó. Hinché el pecho, tensé los músculos del brazo y adopté postura de atleta. La mujer llevaba aún el traje de baño y seguía nuestros movimientos con interés. El hombre vestía pantalón corto y camisa de colores. Mientras halábamos el chicote, habían cambiado unas palabras con el dueño del chamizo. Querían saber por qué se cobraba la red desde tierra y apuntaban vagamente hacia el mar. Luego se sentaron entre las barcas y, al acabar nosotros la faena, el hombre encendió un cigarrillo y alquiló el bote a Ramón.

El sol desperfilaba la cresta de la montaña y teñía el paisaje de una luz mustia y amarillenta. Las colinas de almendros eran grises ahora y, de trecho en trecho, explosiones de tierra roja las salpicaban de manchas de color.

Ramón me había guiñado un ojo al coger los remos y aguardé su regreso con ansiedad. Me entretenía mirando el cementerio, la chimenea blanca de la azucarera, el espeso follaje de los chirimoyos. Imaginaba el invierno en Granada, lejos del mar y de mis amigos, y sentí una vivísima desazón.

Al ponerse el sol, las colinas se acartonaron, el mar perdió su tonalidad azul y una banda de aves cruzó el cielo de la bahía y fue a posarse más allá del camino, entre las cañas. El bote volvió poco después y Ramón ayudó a saltar a la pareja. El hombre se detuvo un momento a charlar con nosotros. La mujer temblaba de frío y corrió a vestirse al hotel.

—¿De dónde son? —pregunté cuando se largaron.

—Suecos. El marido escribe en un periódico.

Sus compañeros escuchaban también y, al quedarnos solos, Ramón me contó que se habían insultado en su idioma durante todo el paseo y, en la caleta, el marido se fue a trepar por los riscos y los dejó a los dos en la playa.

—¿Y ella? ¿Qué hizo?

—Nada —contestó riendo—. Hablar un poco conmigo y bañarse.

Aquella noche, en el café, hubo una discusión. El dueño del chamizo sostenía que en el extranjero los hombres no sabían meter en cintura a sus mujeres y, luego, pasaba lo que pasaba. «Una mujer que enseña el vientre a todos los hombres es una prostituta», dijo. El farmacéutico le repuso que en España no había libertad de costumbres y se vivía como en tiempo de los moros. «En los demás países, explicó, las mujeres se bañan desnudas y nunca ocurre nada.» «Porque todos los hombres son maricas, repuso el del chamizo. Lo que es mi mujer no enseña su cuerpo a nadie.»

Los asistentes terciaron para decir que los andaluces eran de distinta pasta que los otros, y si las mujeres se bañaran por allí medio desnudas la gente se liaría a cuchilladas.

—Las mujeres a la casa, con los hijos —concluyó uno.

—¿No os lo decía? —ironizó el farmacéutico—. Lo mismo que los moros.

El domingo, a la salida de misa, madre me llevó a dar una vuelta por el paseo y, como de costumbre, señaló con el dedo al hotel. Dijo que Soraya iba a venir a España —se había enterado la víspera oyendo la radio— y comenzó a maldecir su mala suerte y a lamentarse de mi falta de ayuda. «En lugares así no se puede descansar. Una mujer atareada como ella lo que necesita es reposo. En casa, por mitad de precio, estaría mucho mejor. Seguramente le cobran una fortuna y tiene que dejar la mitad de la comida en el plato...»

Estaba tan ocupada con su discurso que ni siquiera se dio cuenta de que los suecos bajaban por la escalera y me saludaban con la mano. Lo verificó segundos más tarde, como si despertara de un sueño, y me miró llena de confusión.

—¿Los conoces? —dijo.

Le expliqué quiénes eran y me aproveché de su sorpresa para esquivarme. Los domingos, la playa es completamente distinta de los otros días. Los pescadores no salen a la mar y en los merenderos hay infinidad de burgueses que vienen en autocar de Granada y matan el tiempo pescando a la liña y desperezándose al sol lo mismo que lagartos. Ramón se había ido en bicicleta a Motril y vagué de un sitio a otro, sin saber qué hacer. Frente al hotel, me entretuve mirando los coches aparcados en la explanada. La mayor parte eran franceses de Marruecos, y había también algunos alemanes y un Rolls matriculado en Gibraltar. Un gitano con su burro ofrecía su botijo a los sedientos y pagué veinte céntimos por el trago. Después, continué por el paseo y, al descubrir a la pareja, volví sobre mis pasos y bajé a tumbarme a la playa.

—Mucho sol —dijo el hombre con una sonrisa.

—Sí.

—En mi país no hace calor. Nubes y frío.

La mujer me preguntó por Ramón. Le dije que estaba fuera.

—¿Tú también eres pescador?

—No. Estudiante.

—¿Qué estudias?

Se lo expliqué lo mejor que pude. Los mirones de turno no apartaban los ojos de ella y me sentía orgulloso de mi audacia.

—Me faltan dos años para acabar.

—¿Qué harás luego?

—Todavía no lo sé.

La mujer sacó un tubo de crema del bolso y se frotó concienzudamente los muslos.

—Mi padre vino a España cuando la guerra.

—¿Soldado?

—Amaba mucho España. Era médico.

Yo dije que no me gustaba la medicina y ella sujetó, riendo, la cinta del sostén, y se fue a bañar.

A partir de septiembre, el sol se acuesta tras las colinas, las chirimoyas maduran en el campo y cede el calor. Es el mejor momento del verano. El cielo se tiñe de rojo al atardecer, la luna brilla de noche como un reflector de circo y el mar es transparente y fresco y sabe a corteza de melón.

Las casas de los veraneantes empezaban a cerrar y, en la explanada del hotel, la hilera de coches se reducía. Mi madre iba a contarlos cada mañana y volvía exultante de gozo: «Seis. Se han marchado seis. A este paso se vaciará en una semana.» Diariamente me preguntaba por los suecos y se lamentaba de mi falta de ayuda.

Yo continuaba saliendo con Ramón. La pareja venía ahora a nuestra playa y embarcábamos los cuatro en el bote. Después de largar el palangre, Ramón bogaba hacia la caleta y, hacia la caída de la tarde, nos bañábamos entre los farallones y tomábamos el sol. El marido nos interrogaba a menudo sobre la pesca. Quería saber cuánto ganaban los hombres y si el oficio daba para vivir. La mujer desataba la cinta del sostén por la espalda y leía acostada boca abajo. Tenía un cuerpo fino, muy moreno, y la grupa redonda y bien hecha. De tiempo en tiempo se sentaba, aguantando el sostén con las rodillas, y fumaba sin preocuparse de nosotros.

Un día fuimos a buscar erizos por las rocas. Ramón buceaba con la escafandra y, a medida que los arrancaba con el cuchillo, me los pasaba a mí. Cuando llenamos el cesto, regresamos a la caleta y los comimos con un poco de limón. El marido había comprado una garrafa de vino en el pueblo: un tinto espeso, cargado de años, que dejaba un gustillo amargo en la boca. Al terminar, todos nos sentíamos algo alegres. La mujer propuso a Ramón un paseo a nado hasta la punta y Ramón consultó con la vista al marido antes de aceptar. El marido dijo que era una excelente idea y los dos corrieron hacia la orilla y se zambulleron en el agua.

La playa humeaba de calor. El mar estaba perfectamente inmóvil y en el cielo no había una nube. El hombre se tendió junto a la barca y me pasó un paquete de Chester. Preguntó si, en el pueblo, la gente se interesaba en la política. Dije que no y permanecimos largo rato en silencio, embrutecidos por el sueño y el vino.

Cuando volvieron, Ramón me pareció cambiado. Sus ojos brillaban de modo curioso y miraba con insistencia a la mujer. Ella explicó que había tomado un baño magnífico, uno de los mejores de su vida. Luego, añadió unas palabras en sueco.

El marido contemplaba a Ramón con las cejas enarcadas. También él había advertido el cambio y sonreía divertido.

—¿Y usted? ¿Lo pasó bien?

—Muy bien.

—Estupendo. Amor, sol y vino... El chico y yo dormimos un rato.

La misma noche pregunté a Ramón qué había hecho con la mujer y, en lugar de guiñar un ojo como el primer día, dijo secamente: «Nada.» Estábamos sentados en el café y tenía una expresión corrida y tensa, como un niño que vuelve a casa de puntillas después de una aventura inconfesable. A intervalos amusgaba la vista y escudriñaba las sombras del paseo. Al fin, cuando resultó evidente que ya no venían, pareció relajarse un poco y se fue a jugar al rentoy con sus amigos.

Durante una temporada los suecos se esfumaron. Ramón les esperaba en vano todo el día al lado del bote y, a última hora, me llevaba a pescar a la caleta. Aunque no habíamos vuelto a hablar, sabía que pensaba en ella. En el café jugaba distraídamente al rentoy y sus ojos relucían como los de un felino cada vez que alguien entraba.

Una noche, el marido de la Damiana dijo que, según el personal del hotel, se pasaban el tiempo discutiendo y luego se encerraban en la habitación y bebían los dos hasta emborracharse.

—Para mí que no andan bien de la azotea —añadió—. ¿Desde cuándo un hombre se entretiene bordando pañuelos?

—¿Bordando pañuelos?

—Lo que os digo. La máquina de coser es de él. Quizá que, en su país, los tíos, en vez de pantalones, llevan faldas.

Yo estaba la mar de contento —a solas otra vez con Ramón— y pensaba que nos habían olvidado. Mis vacaciones concluían al cabo de tres semanas y quería aprovechar bien mis últimos días de libertad. Había renunciado a estudiar. Las lamentaciones de mi madre me aburrían e iba a la playa, a ayudar a halar a los pescadores. Pronto cerrarían el hotel. Los últimos clientes tomaban el sol en la terraza y me decía que, tarde o temprano, los suecos terminarían por irse.

El día de la Virgen de septiembre el matrimonio recibió

una visita. En la explanada había un automóvil polvoriento con una «S» encima de la rueda de recambio. Su propietario, un hombre rubio, gastaba bigote de pirata y parecía familiar de los suecos. A mediodía fueron a bañarse los tres entre las rocas. El recién venido traía un equipo de pesca submarina y cobró varias piezas con el fusil. El baile se inauguraba a media tarde, y al poco de empezar, se presentó de nuevo con ellos y bailó muy abrazado con la sueca mientras el marido bebía un coñac tras otro acodado en la barra del bar. A la hora de la cena estaba completamente borracho y su mujer y el otro lo depositaron en el vestíbulo del hotel y se perdieron, cogidos de la mano, por las afueras del pueblo. A la mañana siguiente el coche del intruso había desaparecido. Ramón y yo anduvimos largo rato por la playa, pero los suecos no salieron de su habitación.

Dos días después, cuando nadie los esperaba, aparecieron en el café. Me di cuenta por el brusco temblor de Ramón y me volví y los saludé con la mano. La mujer llevaba una blusa escotada que acentuaba la morenez de su piel. El hombre estaba pálido como de costumbre y su pelo era tan rojo que daba la impresión de ser de estopa.

Les trajeron dos vasos de coñac con un poco de hielo. La mujer parecía nerviosa y apuró el suyo casi de un trago. El del bar vino en seguida con la botella. Durante un rato fumaron sin cruzar una palabra. La mujer partía los mondadientes por la mitad y los echaba al suelo. Después, empezó a hablar con voz monocorde, como si recitara un disco. El marido la escuchaba sin emoción aparente. También él había vaciado el vaso y pidió otro. La mujer había acabado los palillos y hablaba cada vez más alto, con una entonación aguda y vibrante. En una o dos ocasiones se interrumpió, aguardando quizás una respuesta, pero el hombre no dijo nada. Sus ojos miraban obstinadamente un punto fijo entre las sombras del paseo. Entonces, la mujer le agarró por el cuello de la camisa y le espetó una palabra de dos sílabas, cinco, diez, quince veces, igual que si remachara un clavo.

Tenía las manos rígidas y los labios le temblaban. Por un instante pensé que iba a abofetearle, pero mudó de idea y se hundió en la noche con la misma rapidez con que había venido.

Poco a poco, los pescadores volvieron a jugar al rentoy. En el café nunca se había visto nada parecido y, más que la mujer, el comportamiento del hombre escandalizaba: ¿Por qué se dejaba insultar públicamente? ¿Acaso no tenía sangre en las venas? En mi tierra, por mucho menos que aquello, los hombres sacan la navaja del bolsillo y lavan la ofensa a cuchilladas. Todo el mundo recuerda algún castigo ejemplar: esposas a las que se ha rapado el pelo, mutilado una oreja, cortado la nariz. «En Motril, cuando era chico...» o «Una vez, en Salobreña...» El sueco, en cambio, continuaba tan tranquilo y sonreía como si nada hubiera pasado. Mis amigos le miraban con desprecio y yo tenía ganas de gritarle que se fuese de allí y saliese a buscar a la mujer y la escarmentara.

No lo hizo y, el día siguiente, se presentó en la playa con ella. Los viejos que remallaban las redes interrumpieron el tajo y los contemplaron mientras se abocaban con nosotros. El hombre vestía pantalón corto y camisa estampada; ella iba en traje de baño y llevaba un gorro de goma azul en la cabeza. Se detuvieron frente al bote de Ramón.

—¿Está libre?

Ramón asintió con un gesto y embarcamos sin decir palabra. Los merenderos estaban vacíos y un sol de otoño orillaba la cicatriz desnuda de los barrancos, las colinas borrosas y quietas. Entre los almendros, la tierra roja simulaba rubores de arrebol. Ramón bogaba con fuerza, contento de desfogar su energía en algo. A cada palada, sus músculos se endurecían y la nuez le subía como un émbolo. Durante todo el camino el hombre lo estuvo observando con curiosidad. La mujer se había sentado sobre la tilla y no apartaba los ojos del agua.

Al llegar a la caleta varamos la barca en la orilla. Una

banda de gaviotas volaba como un torbellino de plumas y se alejó hacia el faro, trazando espirales. El mar parecía más azul que nunca y, a través de él, podía verse la arena ondeada del fondo, las piedras cubiertas de erizos y anémonas. La mujer invitó a Ramón a bracear hasta las rocas. Sin mirar siquiera al marido, Ramón aceptó. Yo no sabía en dónde meterme y las mejillas me quemaban de vergüenza. Para continuar su idilio del primer día, ¿no podían elegir otro lugar? El marido estaba acostumbrado, sin duda, pero ¿por qué ponerle el gorro en sus mismísimas barbas?

El hombre daba lástima, con su sonrisa, y me fui a escalar los riscales. A medida que subía, el horizonte azul se ensanchaba y, sin poderlo evitar, pensé en mi invierno en Granada y me sentí triste. Adiós tertulias de café, paseos en barca; adiós pesca, baños, playa, excursiones, amigos. Lejos del mar, todas las estaciones son iguales. Lo mismo da que brille el sol, como que llueva, o haya nubes. El tiempo para de contar. Uno vive como dormido.

Cuando bajé, el hombre tomaba el sol de bruces. Durante mi ausencia se había quitado la camisa y se servía de ella a modo de cabezal. Su cuerpo no era nudoso y duro, como el de Ramón, sino escurrido y frágil, y sus omoplatos sobresalían como dos palas de chumbera. Sonriendo, me preguntó a dónde había ido y se lo expliqué. Luego, me pasó su cajetilla de tabaco y quiso saber si tenía novia. Hice un gesto negativo con la cabeza.

—¿Y tu amigo? ¿Tiene alguna?

—No lo sé.

Ni la mujer ni Ramón daban señales de volver y hablamos de ellos como si no se hubieran movido de nuestro lado. El hombre aseguró que encontraba a Ramón muy simpático y estuve a punto de contestarle: «¿Lo dice porque se entiende con su mujer?», pero su misma inconsciencia y la expresión desamparada de sus ojos me desarmaron.

—Simpático lo es, pero no con todos.

El sueco dejaba escurrir la arena entre los dedos y me

miró con perplejidad.

—En la vida no se puede agradar a todo el mundo —dijo.

Nubecillas aborregadas surcaban el cielo de la bahía, y se acostó de nuevo en la arena y cerró los ojos. La mujer y Ramón habían salvado los farallones de la punta y se aproximaban lentamente, sin remover apenas el agua. Sus cabezas flotaban en medio del mar como dos puños de bastón. La mujer iba delante, con su gorro azul, y Ramón a una docena de metros a la izquierda, moreno y despeinado. Mientras ella salía del agua y venía hacia nosotros, permaneció unos instantes en la orilla, sacudiéndose lo mismo que un buldog.

La barca continuaba varada en la arena y, a medida que el viento se terciaba, las olas embestían contra la quilla. La mujer se excusó, riendo, de su retraso. Al sentarse se había sacado el gorro y, contrastando con la negrura mate de la piel, sus cabellos parecían más rubios que nunca. Ramón callaba, como inmerso en una inexplicable dicha interior. El marido seguía tumbado de bruces y hablamos del calor y la playa. Yo había temido una escena como la de la víspera en el café y respiraba aliviado. El hombre conservaba intacta su sonrisa, como si lo que se tramaba entre los dos no le afectase. En un momento dado, sacó un estuche de habanos del bolsillo y lo alargó a Ramón.

—¿Quiere uno?

Ramón le miró unos segundos confuso y rechazó con un ademán.

—No. Muchas gracias.

—¿No le gustan? —El hombre le observaba a su vez, sorprendido.

—Gustarme, sí me gustan. Pero ahora no me apetece.

—Ande, coja usted. Me agradaría que también probara de esto.

Ramón enrojeció ligeramente.

—Si no se ofende... —comenzó.

—Me ofendería.

—Bueno, entonces fumaré. —Aparó el cigarro al vuelo—. No, ya tengo lumbre, gracias.

Esto fue todo. A la hora de comer, Ramón empuñó los remos y volvimos a la playa. El hombre le abonó el alquiler del bote y se alejó del brazo con su mujer.

Yo empezaba a cansarme del juego y pregunté si había pagado también por la excursión a las rocas. Imaginaba que Ramón reiría, pero calló, lleno de irritación.

—La mujer es de él y tú tienes novia —dije.

—Pues anda y búscate tú una —replicó exasperado.

Me fui a casa sin despedirme. La mujer se había interpuesto entre nosotros y la odiaba de todo corazón. Aquella misma tarde visité a una muchacha amiga de mi madre que trabajaba en una peluquería de Granada y pasaba unos días de vacaciones en el pueblo y la invité al cine. El verano anterior habíamos ido a pasear entre las cañas y sabía que no hacía dengues como las otras. Conseguí lo que quise, sin gran esfuerzo y, después de la cena, pasé a recogerla por la fonda y la convencí de que me acompañara al café. Mis amigos jugaban al rentoy como de costumbre, pero, aunque estuvimos más de una hora de palique, Ramón no apareció.

Volví a bañarme en el pueblo. Esperaba que Ramón se arrepintiera de sus palabras e, inquieto de mi ausencia, me viniese a buscar. Pero el primer día transcurrió, lento, aburridísimo y Ramón no fue al café ni a la playa. Aguardé un par de días más, algo decepcionado, y el horizonte del lugar era siempre el mismo, con sus cañizos desiertos, los mozos marisqueando con el rastrillo y los viejos ociosos esponjándose al sol. Ramón parecía haberse eclipsado. En el café, oí contar que salía en el bote con los suecos y, una vez que el marido atravesó la calzada frente a nosotros, el Heredia sonrió bárbaramente y dijo: «¡Ay, si lo pilla Manolete! ¡Qué estocada, madre!»

Me pasaba el día cantoneando, pero no quería dar el brazo a torcer. En casa, mi madre leía la reseña del viaje del embajador americano por Andalucía y soñaba en tenerlo a pensión. Sus lamentaciones me ponían los nervios de punta y, cuando estaba seguro de no encontrar a nadie, me asomaba a la playa y hablaba del tiro con los hombres.

Eran momentos de intensa melancolía. Se habían ido ya los extranjeros del hotel y los chiringuitos cerraban. El dueño del chamizo desmontó una mañana el suyo, mientras los viejos tintaban las redes en la arena. Todo anunciaba la inminencia del otoño. Las colinas palidecían bajo el verde desmayado de los almendros y, más lejos, el sol iluminaba teatralmente la montaña. Pronto, empezarían a vendimiar.

De noche, vagaba por las callejas pinas del cerro y, después de recorrer todos los bares, subía a las rocas del promontorio y escudriñaba los ventanales del hotel. Veía a los camareros con sus chaquetas blancas y los frescos chillones de las paredes, pero, una vez, solamente, di con lo que buscaba. Los suecos estaban sentados en medio del comedor vacío y sus cabezas se recortaban de perfil: una, pelirroja, como espeluznada; otra, amarilla y morena. Bebían un líquido oscuro, paladeándolo, y la mujer acariciaba la mano del hombre. Una doncella corría las cortinas de la ventana, y ya no los volví a ver.

Comenzaba a lamentar mi estúpida riña con Ramón. Hacía más de una semana que no nos hablábamos, y no sabía nada de él sino a través de sus compañeros. Me enteré así de que el domingo no había ido a Motril y estuvo de arrimón en la playa, aguardando a la mujer. El marido de la Damiana lo había visto después de cenar y rondaba todavía el hotel, como un lobo. Aquella noche, los suecos no se movieron de su cuarto.

Dos días más tarde, cuando me levantaba —la víspera fui al cine con la peluquera y eran casi las once— mi madre entró en la habitación y dijo: «¿Sabes qué ha ocurrido?» Tenía el cabello desguedejado y los labios le temblaban de emoción. «Tu amigo, el pelirrojo, que por poco se va al otro barrio. Esta mañana vinieron a buscarle en una ambu-

lancia. Gracias a Dios, parece que ya está fuera de peligro.»
Y, sin hacer caso de mis preguntas, empezó a quejarse y
decir que la culpa era mía, por haberle permitido instalarse en el hotel, en vez de obligarle a venir a casa: «Estaba
segura de que acabaría mal, segura. Pobre hombre. En un
sitio así cualquiera se vuelve neurasténico.» No la dejé terminar y corrí hacia el paseo. El corazón me latía como un
reloj. Frente al hotel, había media docena de curiosos y, olvidando la dignidad de su uniforme, el botones hablaba,
hablaba: «Jesús qué curda. Hasía dos días que no salían de
la habitasión. La camarera les subía continuamente vino.
No del ordinario, no se vayan ustés a creé. De marca y del
caro. Al bajá las maletas esta mañana, se lo juro: había
a lo menos quinse boteyas. El somelié, que ha corrío mucho,
lo dijo. En mi vía he visto clientes locos, pero, como este
par, ninguno. Y tié más rasón que un santo. Eya, timán-
dose con to'l mundo, y él, como si ná.» Luego, como llegaba
gente nueva, explicó que el hombre había tragado un tubo
de somníferos creyendo que era aspirina. Al despertarse, la
mujer lo encontró desvanecido y consiguió hacerle reaccio-
nar con un poco de amoníaco. Cuando vino la ambulancia,
había vomitado ya varias veces y salió del hotel por su pro-
pio pie: «Paresía un cadáver, palabra. A la chica del piso,
que es muy sentía, casi le da un arrechucho de verle. Y a
los demás también, no se figuren. Yo mismo, aquí donde
me ven, todavía no sé cómo aguanto.»
    Los niños correteaban desnudos por la playa y contem-
plé los merenderos cerrados, vacíos. Ramón estaba sentado
junto al bote, con el calzón de baño y una descolorida cami-
seta azul. Hacía varios días que no se afeitaba y tenía los
párpados hinchados de sueño. Al verme, intentó sonreír.
    Le ayudé a empujar la barca y bogamos lentamente
hacia la punta. La luna permanecía colgada en lo alto,
como un hueso de sepia, y cielo y mar se confundían en una
imprecisa franja gris. Yo miraba los cipreses del cementerio,
el hotel, las colinas, y comprendí de golpe que mis vacacio-

nes habían terminado y Ramón, la barca y lo ocurrido con los suecos eran cosas pasadas —historias del verano que recordaría en el colegio, cuando estaría lejos del mar, sin los amigos.

El sol bruñía la arena de la caleta y nos tumbamos en la playa. Las gaviotas salpicaban de blanco el promontorio tras el que, días antes, Ramón había desaparecido con la mujer. Ahora, mi amigo fumaba en silencio y lo encontré triste y avejentado.

—No ha sido nada, ¿sabes? —dijo simplemente—. Iré a Motril el próximo domingo.

Desde el principio había seguido con interés la aventura del hombre. Cada mañana compraba el periódico con el exclusivo propósito de informarme de ella y saboreaba sus triunfos contra los opresores de antes como algo íntimo y personal mío. En mi despacho tenía media docena de fotos de un viejo número de *Life*, en las que se distinguía, asimismo, a los demás protagonistas del drama. La historia no se había convertido aún en tragedia y el hombre sorteaba los peligros y emboscadas con la agilidad de un funámbulo. Su rostro de diablo inteligente y bueno casaba a la perfección con su genio de mago y trapecista. Rodeado de enemigos y traidores, avanzaba sin miedo por la cuerda floja. Muchas veces, cuando parecía a punto de caer —y como un espectador piadoso y sensible me disponía a cerrar los ojos—, una última e inesperada pirueta conseguía enderezarle y le mantenía milagrosamente en equilibrio. Un día —sin razón alguna— la suerte le abandonó de modo brusco. Todos los que le amábamos lo advertimos y comenzamos a temer por él. A partir de septiembre las fotografías le mostraban ensimismado y caviloso, como barruntando ya la ejemplaridad de su destino. Poco a poco, la tela de araña se había cerrado alrededor de él. Los periódicos reproducían la faz sonriente de sus adversarios. La bondad del personaje que encarnaban les impedía mancharse las manos de sangre y habían decidido venderlo al verdugo por treinta monedas de plata. Luego, las agencias divulgaron la imagen del hombre golpeado y caído. En uno de los retratos aparecía esposado, objeto de la curiosidad compasiva de quienes, un día, engendrarían hombres libres gracias a él. Su expresión se me había grabado en el cerebro y no se despintó un segundo durante las horas que sucedieron al anuncio de su desaparición y a la noticia brutal de su muerte. Había bajado a dar una vuelta con Ana y, en la calle, Rafael me enseñó los titulares del periódico y dijo: «He decidido mudar de piel. El color blanco me repugna.»

Fue en febrero y habían transcurrido cuatro meses desde entonces. Sin embargo, cuando vi el corro de curiosos y paré el coche, tuve la sensación de revivir una experiencia conocida y comprendí que la imagen del hombre maniatado se mantenía fresca en mi memoria. El que rodeaban los mirones en la carretera del puerto franco era todavía joven, de treinta o treinta y cinco años, y permanecía sujeto a las rejas de la ventana, de espaldas al público, con la frente apoyada sobre un barrote. La gente le observaba con respeto y comentaba en voz baja las incidencias de su captura. Alguien dijo que había robado harina en los depósitos.

A los pocos momentos, llegó un jip de la policía y los espectadores abrieron un camino a los agentes. El hombre esposado a la ventana se volvió a mirarles con lentitud. Su rostro estaba orillado de sudor. Vestía una chaqueta muy andaba, sin camisa, y, entre las solapas, se veía su pecho rojizo, cubierto de vello hasta la nuez. Los dedos le asomaban por la punta de las alpargatas. Me acerqué hasta él a codazos y pregunté si podía serle útil.

—Soy abogado —añadí alzando la voz, a fin de que me oyeran los policías.

El hombre me contempló unos segundos: tenía los ojos azules, profusamente sombreados de pestañas, y movió negativamente la cabeza.

—Muchas gracias —dijo—. No necesito nada.

Cuando lo embarcaron en el jip los curiosos se dispersaron. Antes de regresar al automóvil examiné por última vez los barrotes de hierro de la ventana. Loles me aguardaba mordiéndose nerviosamente las uñas.

—¿Qué ha hecho? —dijo—. ¿Por qué se lo llevan?

—Es un chorizo.

—¿Un qué...? —Ladeó la cabeza y me observaba con sus ojillos negros y ardientes.

—Un ladrón —expliqué—. Un pobre tipo.

El coche avanzaba bajo la bóveda de los plátanos. Los hombres que salían del trabajo andaban en mono y mangas de camisa. Al cabo de un centenar de metros frené para ceder paso a una camioneta.

—Álvaro.

—Sí.

Me volví a mirarla. Loles me atrajo hacia ella y me besó con tranquila voracidad.

—Eres maravilloso, ¿me oyes?

—No.

—Te digo que eres maravilloso. Te finges el distraído y sé que ahora mismo estás pensando en el hombre y en la manera de echarle una mano, y estoy segura de que lo lograrás.

—Te equivocas. No ha querido saber nada de mí.

—Pero tú le ayudarás. Apuesto cualquier cosa a que le sacarás en seguida a la calle.

Nos besamos de nuevo. El chofer del Leyland que venía detrás de nosotros sonó impaciente el claxon.

—¿A dónde vamos? —dijo ella—. Quiero conocer todos los sitios que tú conoces. Así, cuando esté sola, volveré y será como si estuviese contigo.

—Son las siete. Había prometido telefonear a Ana.

—Por favor, déjame acompañarte un rato.

Loles hablaba con acento de súplica y observé unos segundos su blusa de cuadros, su cabello corto, sus manos veloces y diminutas.

—Eres una criatura. ¿Sabes qué va a pensar la gente cuando nos vea? Que soy un viejo verde que se dedica a seguir niñas a la salida de los colegios.

—Pensará que eres un hombre inteligente y guapo y que

31

yo tengo una suerte de mil demonios de pasear contigo.

Al llegar a la curva torcí en dirección a la explanada en donde los tranvías daban la vuelta. Arrimé el coche a la acera y me apeé a contemplar el cementerio.

—¿Conocías esto?

—No —repuso ella—. No conozco nada. Únicamente lo que me has enseñado tú.

—Aquí están enterrados mis padres y los padres de mis padres... Un día te mostraré el panteón.

—¿Por qué no ahora?

—Es tarde y deben de haber cerrado. Ven, nos sentaremos en el bar.

El nombre del local aparecía escrito en una anuncio rectangular de COCA-COLA. Sobre la acera había una docena de mesas y el toldo estaba adornado con banderitas de colores. Los andaluces del barrio jugaban a cartas y palmeaban. Un altavoz transmitía una canción de Farina.

Loles se sentó en la última mesa libre y me acerqué al bar a pedir dos cuba-libres de ginebra. En la sala del fondo chiquillos y viejos observaban la televisión. Junto a la barra había un borracho despechugado. Por la braqueta le asomaba un pico de la camisa y, torpemente, intentaba auparse los pantalones. La muchacha del mostrador me sonrió.

—Ayer vino un hombre a preguntarme por usté.

—¿No sabe usted quién era?

—Uno moreno, con una cicatriz... ¡Tú! —dijo encarándose a uno de los clientes—: ¿Cómo se llama el amigo del Juaneles?

—¿Cuál? ¿El Pepico?

—No, ese grandón de la cicatriz.

—Ah, ya sé... A uno que le dicen el Zurguena. ¿Lo buscaba usté?

—Creo que él me buscaba a mí.

—Lo he visto hará media horica frente a su casa. ¿Tié usté sus señas?

—No.

32

—Si lo desea usté, le muestro el camino. Vive allá atrás.

—¡Quita! —protestó la chica—. Ya vendrá, si quiere, el mala sombra ese. ¿No ves que el señor va acompañado?

Loles miraba fijamente la montaña. Los andaluces la examinaban con curiosidad y esperé a que la muchacha preparara los cuba-libres. Muchas veces Rafael y yo habíamos considerado las posibilidades cinematográficas del lugar y, sentados donde ella estaba, forjamos proyectos para lo futuro. La panorámica del cementerio era realmente insólita. En la cima, los nichos reverberaban al sol como bloques de pisos modernos y enigmáticos. Más abajo, las chabolas escalaban la cuesta y trepaban hacia los panteones de mármol y los cipreses fúnebres. Una frontera ambigua separaba el mundo de los muertos del de los vivos. El conjunto daba una impresión de armonía casi aterradora.

Expliqué a Loles la idea de la película y agregué que nunca la llevaríamos a cabo: «Nos pasamos la vida hablando de cosas irrealizables. Un día, moriremos intoxicados de palabras.»

—Tengo la certeza de que si te propones algo lo conseguirás —dijo ella.

—A los veinte años pensaba como tú. Imaginaba que, un día, haría algo. No sabía qué, pero algo que sería, a la vez, nuevo y útil... Ahora tengo más de treinta años y me doy cuenta de que, si no he hecho nada hasta hoy, no hay razón alguna para que lo haga en adelante. Cada día me encuentro más cansado, más viejo...

—No es verdad —dijo Loles—. Eres joven y haces un sinfín de cosas. Eres el mejor abogado del mundo. En los juicios la gente te escucha y te admira. Tienes... —Hablaba de modo atropellado como temiendo una interrupción—. Tienes el don de interesarte por los otros y de ganar inmediatamente la simpatía. Cuando entras en un sitio atraes las miradas... Eres..., eres...

—Por favor, no digas más tonterías.

—No son tonterías. —Loles tenía las mejillas encendidas

33

y retorcía febrilmente las manos—. Eres auténtico y profundo. No puedo soportar que te disminuyas.

Permanecimos callados y sentí el peso de su mirada, obstinada y terca, como la de una niña.

—Estoy cansado —dije—. Cuando me tome unas vacaciones me sentiré mejor.

—¿A dónde vas?

—Quiero recorrer el Sur. Rafael fue el año pasado y volvió loco. Si no hay novedad, saldré dentro de un par de semanas.

—Iré contigo.

—No voy solo. Ana viene también.

—Me da igual. Iré con vosotros dos.

Lo dijo en tono de desafío y su rostro se inmovilizó, como si su cerebro hubiera suspendido momentáneamente su actividad, al acecho de mi respuesta.

—Eres muy amable. Ni Ana ni yo necesitamos compañía.

—No os estorbaré. Os seguiré a todas partes sin rechistar y haré lo que tú me ordenes.

—Sé razonable —dije—. ¿Desde cuándo las muchachas de tu edad viajan con hombres casados?

—Desde ahora. —Sus ojos brillaban como si estuviese a punto de llorar—. Si no se hace, yo seré la primera.

—Escúchame. Ana es mi mujer y desea estar a solas conmigo.

—Todo el mundo quiere estar a solas contigo. Para esto no es preciso ser tu mujer. —Su cólera infantil parecía sincera—. ¿Cuánto tiempo pensáis viajar?

—Un mes... Un mes y medio...

—Un mes y medio sin ti —suspiró.

—No es largo, ya verás. Cuando tus padres te lleven al Pirineo te olvidarás de nosotros.

—No es verdad. Ni te olvidaré ni iré con mis padres. Me quedaré en Barcelona y pasaré el día en los lugares que tú me has enseñado... Aquí mismo, en esta terraza

—Te divertirás mucho.

—Cogeré una libreta y te escribiré... Por lo menos estaré contigo.

Hubo un punto de silencio. Una mujer cruzaba la plaza empujando un carrito de flores y los últimos visitantes enlutados aguardaban en la parada del tranvía. El sol iluminaba aún la pared alta de la montaña.

—Eres odioso —dijo Loles—. Sabes que me muero por viajar contigo y no piensas más que en contentar a tu mujer.

—Nunca es posible satisfacer a todo el mundo.

—Si me quisieses un poco lo intentarías.

—Las personas como yo nos sentimos siempre en falta. Deseamos hacer un montón de cosas a la vez y, cuando cumplimos una, abandonamos las restantes.

—¿Cosas? —dijo ella—. ¿Qué clase de cosas?

—No sé... Ser intelectual y hombre de acción, buen padre, buen amante, buen amigo... Como no puedo ser todo esto al mismo tiempo, no llego a tener la conciencia en paz.

—Me bastaría con que quedases en paz conmigo.

—No seas niña. Ya te he dicho que es imposible.

—Para Ana no lo es.

—Te equivocas. Hoy, por ejemplo, le había dicho que le telefonearía...

—Ella te tiene todos los días. Si viviese contigo yo también sería generosa.

—Ana es siempre generosa.

—Ya lo sé —dijo Loles—. No me hagas caso. Hablo solamente por hablar.

Me levanté con el vaso vacío y encargué un segundo cuba-libre a la muchacha. Un andaluz había arrancado a cantar por soleares. Loles ladeó la cabeza para verlo y, en seguida, me volvió a mirar a mí.

—¿Qué ciudades piensas visitar? —El sol acababa de trasponerse y su rostro se ensombreció—. Me voy a comprar una guía y la leeré mientras tú viajas.

—No seas absurda.

—No soy absurda, soy práctica. Quiero organizarme bien durante el tiempo que estarás fuera.

—Es inútil. Ni Ana ni yo sabemos adónde iremos.

—¿No lo sabéis?

—Andamos a la buena ventura. Cuando un sitio nos gusta nos paramos a verlo.

—Igual da —dijo ella—. Lo imaginaré y todavía será mejor.

Me bebí un tercer cuba-libre y, al subir al coche, nos besamos espaciosamente. Loles tenía la boca tibia y cerraba los ojos.

Ana se había cansado de esperar. Sobre el escritorio encontré una nota de su puño y letra y una lista de las llamadas telefónicas de la tarde. Antes de ir al lugar de la cita marqué el número del corresponsal de *El Caso* y le pedí informes acerca del detenido.

—Lo agarraron en la carretera del puerto franco mientras mangaba harina. No creo que esté aún en Jefatura.

—Voy a indagar en la Comisaría del barrio. ¿Conoces su nombre?

—No.

—Bueno, es lo mismo.

—¿Cuándo sabrás algo?

—Telefonéame mañana. Es más seguro.

La dirección de Ana resultó ser un teatrito de cámara y el acomodador nos escoltó a los asientos en el momento en que se alzaba el telón. Ana estaba en la primera fila con Rafael, Montse, los Ferrer y Paco Iruña.

La obra era original de un amigo de Tere. Se trataba de un drama telúrico, ambientado en una isla griega, con hombres atormentados por pasiones brutales y madres enlutadas y silenciosas. El protagonista derribaba a su hermana en los trigales y luego se enjugaba el sudor con un pañuelo y repetía con voz lúgubre: «Es el sol. Es el sol.» Al terminar, los invitados aplaudieron y Loles y yo nos escurrimos, riendo, hacia la salida.

Ana venía del brazo de Paco Iruña, vestida con una blusa dorada y negra. El color moreno de la piel la embellecía y me pareció que nunca la había visto tan guapa.

—Perdóname el plantón —dijo Loles. Se había precipitado a besarla y la enlazó por la cintura—. Ha sido culpa mía... Estoy enamorada de Álvaro y de ti. No puedo vivir sin vosotros.

—¿Dónde estabais? —Ana le cogió la barbilla y la miraba cara a cara.

—Álvaro me ha enseñado el cementerio y la playa del puerto franco... Me ha dicho que cuando erais novios pasabais las tardes allí.

—Lo suponía —dijo Ana riendo—. Cada vez que quiere seducir a alguien lo lleva a Casa Valero o a Montjuich... Apuesto algo a que te ha presentado a uno de sus pobres.

—Hoy he encontrado sólo a un ladrón de harina —bromeé—. ¿Y vosotros? ¿Qué habéis hecho?

—Como faltabas tú, me he encargado de consolarla —dijo Iruña.

—¿A quién se le ha ocurrido traernos aquí?

—La responsable es Tere —dijo Rafael—. Ella nos ha obligado.

—Qué embustero, hijo... El autor es amigo mío y no podía hacerle un feo. Ya os advertí que la obra era mala.

—¿Y si fuéramos a cenar? —dije.

Hubo un conciliábulo para decidir adónde íbamos. Montse hablaba de una tasca de Gracia en donde sabían cortar la carne. Ana dijo que prefería los merenderos de la Barceloneta.

—A lo menos estamos al aire libre, ¿no os parece?

Subió en el coche con Rafael, Loles y Paco Iruña y tiré Vía Layetana abajo en dirección al puerto. Ana explicó que Rafael y Montse habían tenido un pique a propósito de la mujer de Ricardo Ferrer. Rafael pretendía que era una pequeño-burguesa.

—El pobre Ricardo se mata a trabajar y Tere le ha hecho instalarse en un piso de tres mil pesetas con una criada para cuidarse de los chicos.

—Lo mejor es dejarles en paz —dije—. Ellos sabrán lo que se hacen.

—Si Tere no quiere moverse de casa, no tiene necesidad de pagar a una chica. Después, Ricardo se endeuda y debe pedir prestado a todo el mundo.

—Se está quedando sin amigos —dijo Ana—. Nadie lo invita para no cargar con ella.

—Además, es una celosa del carajo. ¿Sabéis que le cuenta los minutos desde que él sale de la oficina?... A la que se retrase un poco baja a esperarlo a la calle.

—Me agradaría saber en qué se ocupa durante todo el santo día.

—Debe de cultivar su inteligencia —dijo Loles.

—Es una analfabeta total. En cuanto hablas un rato con ella, en seguida descubre la hilaza.

—Lo que no comprendo es cómo Ricardo la soporta.

—A fuerza de vivir con ella se ha embrutecido también. Si no reacciona a tiempo terminará idiotizado.

Era el tema de conversación desde hacía unos meses y me acordé de la época en que nos esforzábamos en crear cosas y ayudarnos unos a otros, en lugar de destruirlas como ahora y criticar a las mujeres de los amigos. La neurastenia de la inacción nos había ganado poco a poco y, a medida que perdíamos pie respecto a la realidad, nos hundíamos sin remedio en una maraña de interpretaciones psicológicas y conjeturas.

Frente a los restaurantes no había un hueco libre y aparqué en uno de los callejones. Al echar pie a tierra, Loles besó a Ana impulsivamente. Rafael seguía desahogándose contra la mujer de Ricardo y aguardamos a que Montse llegara con el topolino.

Los empleados de los merenderos nos hacían señas de acercarnos. Parecían alcahuetes —uniformados y obsequiosos— y Ricardo evocó los tiempos heroicos de los prostíbulos. Al fin, entramos en uno y el camarero nos instaló en una mesa al lado de la playa. Había luna y se distinguían algunas parejas sentadas en la orilla. Cuando trajeron la carta de vinos pedí dos botellas de clarete de Cariñena.

—Póngalas a enfriar en seguida —dije.

Llevaba encima un tubo de Alca-Soda y fui a buscar un vaso de agua. Mientras disolvía las pastillas, Ana se dirigió al cuarto de aseo y me colé detrás y la besé en los labios. Ella se desprendió con brusquedad.

—Suelta —dijo—. ¿Has bebido?

—Un par de cuba-libres. Justo para entonarme.

—Apestas a ginebra como el otro día... Si quieres embriagarte, haz el favor de hacerlo cuando no estoy. Me horroriza verte borracho.

Empezó a peinarse con movimientos nerviosos y contemplé su imagen en el espejo, erosionada por la luz de la bombilla.

—Además, el alcohol es un mal cebo. Por muy enamoradas que estén, a las chiquillas les repugna.

—No entiendo qué quieres decir.

—Nada —repuso—. Lo sabes tan bien como yo.

Se marchó sin añadir palabra y volví al bar y bebí el vaso con las pastillas. En la mesa me habían guardado un sitio entre Loles y Tere. Cuando regresó, Rafael discutía animadamente con Montse.

—Los hombres sois una raza en vía de extinción. El porvenir es nuestro.

—No hay hombres impotentes. Lo que hay es mujeres incapaces.

—¿A qué llamas tú capacidad?

—Pregúntaselo a Álvaro. Él te informará como es debido.

Hubo un coro de risas y Ana dijo que eso debió de ser en los tiempos lejanos de mi juventud.

—Ahora prefiere los idilios sentimentales. Los años le han vuelto perezoso.

—Atiende a tu mujer —dijo Paco Iruña—. Si yo fuera de ti procuraría no alejarme de ella.

—¿No? —dije—. ¿Por qué?

—No le inspires malas ideas, por Dios —protestó Ana—. No faltaría más que fuese celoso. Es un defecto que no aguantaría.

—¿Qué defectos le aguantas? —preguntó Loles.

—Ninguno. Las personas como Álvaro están acostumbradas a que la gente les adore y tienen una propensión natural a tomarse en serio. Si no lo sacudiese de vez en cuando, acabaría tan tieso como un actor de cine, ¿no es verdad, querido?

El camarero trajo una bandeja con los entremeses y descorchó las botellas de Cariñena. Era un clarete de buena embocadura y, aunque no había habido tiempo de enfriarlo, se dejaba beber con facilidad. Mientras escanciaba, referí sucintamente la historia del ladrón de harina.

—¿No sabéis quién es? —preguntó Tere.

—Álvaro le preguntó si necesitaba algo y dijo que no.

—Álvaro es abstracto en todas las cosas, excepto cuando se trata de redimir a la Humanidad —intervino Ana.

Loles había enrojecido y dijo:

—¿Te parece poco?

Ana cambió una mirada conmigo. De improviso, rompió a reír.

—No —dijo—. Si fuese de otra manera probablemente no le querría.

Me cogió de la mano con ademán cariñoso y explicó que estaba molesto con ella porque me había llamado borracho.

—Le he soltado un discurso acerca de la servidumbre del vicio y la herencia alcohólica... Me encanta discutir aunque sepa que no tengo razón. Adoro las escenas.

—Con Rafael andarías servida —suspiró Montse.

—Ricardo y yo nos entendemos perfectamente —dijo Tere—. Llevamos casados tres años y en la vida hemos reñido.

—Los mudos tampoco riñen —murmuró Rafael.

Ricardo nos observaba con inquietud y Paco Iruña terció en la conversación. Dijo que, a menudo, los hombres no dábamos a las mujeres el apoyo que les debíamos y prodigó sus habituales consejos de paz y concordia. Tenía un cuello poderoso —de luchador o remero— y manos inmensas —cuadradas y bastas—. Ana aprobó con la cabeza.

—Hablemos de otra cosa —dijo.

Su proposición cayó en el vacío y Rafael y Montse discutieron aún por una nimiedad. Tere abrazaba a Ricardo como si temiera que alguno viniera a arrebatárselo de un momento a otro. Ana regaló sus pendientes a Loles y las dos se besaron en las mejillas. El Cariñena disminuía con rapidez y encargué dos botellas más al camarero.

—¿Puede saberse qué te ocurre? —susurró Ana—. Pareces furioso con todo el mundo.

Me miraba de hito en hito y, bajando la voz, le repuse que estaba cansado.

—Entonces vete a dormir, pero no pongas esa cara de entierro. Te aseguro que es algo penoso.

—Tengo ganas de largarme, Ana. De agarrar el coche y desaparecer durante unos meses...

—Entretanto procura hacer un esfuerzo, por favor. Da la impresión de que bebes únicamente para soportarnos.

—Es la pura verdad —dije.

Una salva de exclamaciones acogió el final de una anécdota de Montse. Loles debía de haber oído nuestro diálogo, pues su mano me buscó bajo la mesa. Haciendo un esfuerzo, referí una historia de humor feroz, de dos gitanos en la época del hambre. Cuando acabé, todos se atragantaban de risa y me detuve agotado, con el cerebro completamente vacío.

—Anda, cuenta otra —dijo Tere.

—Me falta entrenamiento —repuse—. Salgo poco de casa y no estoy en forma.

—Tu mujer tenía razón —exclamó Iruña—. ¿Habéis visto? Ha vaciado el Cariñena él solo.

—Rafael ha bebido también —acusó Loles.

—Organicemos algo —dijo Montse—. ¿Alguno conoce un bar donde podamos encontrar grifa?

Iruña protestó escandalizado y, finalmente, decidimos dar una vuelta por los alrededores. Al salir, Loles se colgó del brazo de Ana. Tere iba con Ricardo e Iruña. Rafael andaba rezagado y emparejó conmigo.

—¿Qué te sucede? —preguntó al cabo de unos segundos.

—No sé... —contesté—. Tengo la impresión de que nos vamos disolviendo, tú, yo, mi mujer, todos... —Rafael había reducido la velocidad de sus pasos y se detuvo frente a mí—. A fuerza de esperar imposibles nos estamos volviendo neurasténicos. Como esto continúe, un día nos tendrán que encerrar...

—¿Qué quieres que hagamos? ¿Echarnos al monte?

—No, no digo eso. —La cabeza me dolía y encendí un cigarrillo—. Ninguno de nosotros se soporta a sí mismo ni soporta a los demás... Antes hablábamos de crear cosas. Ahora nos ensañamos en destruirlas.

Los otros aguardaban junto al bar de la esquina y los alcanzamos en silencio. Dentro, la mayoría de los clientes estaban sentados de espaldas a la calle, atentos a las incidencias del programa de televisión. Montse pidió una ronda de cuba-libres de ginebra. Ana se había instalado con Paco en la extremidad de la barra y evitaba mirarme de modo ostensible.

—¿A quién se le ha ocurrido venir aquí? —dije—. Es un lugar siniestro.

Nadie contestó e, inopinadamente, con mímica de payaso, Rafael empezó a parodiar la voz de Tere: «Mi hombre y yo somos una misma cosa y nos queremos con locura...

¡Uy, uy, que no me lo roben!» Ricardo callaba, confundido, y Montse intervino y recordó que habíamos salido a divertirnos, no a discutir ni a pelear.

—Canda el pico, ¿me oyes? Estás borracho.

—Si caza usted un maridito, cuídelo como a la niña de sus ojos... No se distraiga usted jamás...

—Cállate.

—No duerma... Un segundo de inadvertencia puede ocasionar la muerte del artista.

El rostro de Rafael había emblanquecido conforme hablaba y se dirigió al lavabo tambaleándose. Montse y Paco se precipitaron detrás. El programa de la televisión había terminado y, en la pantalla, hubo un despliegue de tanques y banderas. Una tras otra, la efigie de los jefes del Movimiento avanzaba agrandándose hacia el espectador, hasta culminar en la imagen serena y grave del Caudillo, mientras los emblemas de la Victoria ondeaban al fondo y la banda sonora transmitía los compases del Himno Nacional. Poco a poco, los clientes del bar se levantaron de sus asientos.

—Anda —dijo Ana—. Paga y vámonos.

Una vez en la calle, Tere rompió a llorar y me tiraba de la manga.

—¿Qué le habré hecho, Dios mío de mi vida, qué le habré hecho? —Ricardo se esforzaba vanamente en calmarla, pero ella no le prestaba atención—. ¡Es que no para de azuzarme, dale que te dale, como si no tuviera otra cosa que hacer...!

Murmuré unas frases de consuelo y dije que Rafael obraba a menudo a la ligera, pero sin mala intención.

—Me trae entre ojos Dios sabe por qué y quiere amargarme la existencia... ¡Jesús, como si fuera un crimen el que una quisiese a su marido!...

Finalmente, conseguimos meterla en el coche. Durante el trayecto lloraba todavía y Ricardo parecía infeliz y le acariciaba los cabellos. Loles y yo permanecíamos callados. Cuando se apearon, Ana se volvió hacia Loles y lanzó un suspiro.

—¿Dónde quieres que te dejemos, criatura?

—Oh, en cualquier sitio. Continuad hasta vuestra casa. Así estaré unos momentos más con vosotros.

—Es absurdo —dijo Ana—. Allí no encontrarás ningún taxi.

—Me es igual, iré a pata. Adoro caminar de noche.

—Álvaro, dile que no se comporte como una chiquilla.

—Quiero aprovechar vuestra presencia hasta el fin. Sois las personas más inteligentes y maravillosas con que he tropezado en mi vida... ¿Cómo queréis que tenga sueño después de conoceros?

Ana reía y Loles la abrazó y dijo que nunca se separaría de los pendientes. El alcohol no amortiguaba la seguridad de mis reflejos y conducía a más de ochenta por las calles del barrio. Al llegar frente al piso, frené con brusquedad.

—Buenas noches —dije a Loles.

Ana y ella se besaban de nuevo y, de repente, Ana se encaró conmigo.

—¿Por qué no la acompañas a su casa?

—Prefiero ir a pie —protestó Loles.

—No seas estúpida. Álvaro te llevará con mucho gusto.

—No, no —dijo ella—. No imagináis lo que este día significa para mí. Estoy despierta como si hubiese bebido un litro de café... Necesito reflexionar a solas.

Se alejó corriendo y entramos en la portería sin decir una palabra. Cuando subíamos en el ascensor, Ana apretó el botón de alto.

—Anda, ¿qué esperas? —dijo—. Todavía estás a tiempo.

—¿A tiempo de qué?

—¿Por qué no has querido conducirla? ¿A causa de mí?

—Si crees que me he enamorado de ella, te equivocas

—repuse.

Ella buscaba la llave en el interior del bolso y murmuró: «¿Estás seguro?»

Sobre la mesilla de noche había un tubo de Alca-Soda y me tendió un vaso de agua en silencio. La cama era infinitamente dulce después de tantas horas de tensión y fatiga. Ana parecía triste y ausente y se acostó a mi lado, sin mirarme.

—¿Te sientes mejor?

—Un poco cansado nada más.

—Descansa si quieres, pero óyeme bien... Esta es la última vez que salgo contigo.

—No te entiendo.

—¿No me entiendes? —Ana se incorporó de pronto y me observaba encolerizada—. ¿Te has visto un instante mientras cenábamos?

—¿Yo? ¿Por qué?

—No puedes formarte una idea de la sensación de aburrimiento que das cuando estás con nosotros... Es algo insoportable, te lo juro... Me horroriza que la gente crea que vivo con un mudo...

—¿Qué quieres que haga? ¿Que cuente chistes?

—Sabes muy bien que no se trata de esto. Ninguno de tus amigos se te importa una higa y obras de tal manera que se lo haces sentir a cada instante... Si te aburres con nosotros, márchate. De otro modo, intenta hacer un pequeño esfuerzo...

—Hace tiempo que vivo esforzándome, Ana.

—Ya sé que las muchachas como Loles te adoran como al Santísimo Sacramento, pero, en tanto vivas conmigo, no permitiré que te abandones a tus humores... No eres un viejo aún, ¿te enteras?

Como yo callaba, se inclinó hacia mí y me acarició con ternura. «Perdona que diga estas cosas, querido. Prefiero que te enfades conmigo a que te tomen por el tonto del pueblo. Antes, te interesabas por los demás. Ahora, todo cuanto no se relaciona con tu trabajo te aburre. Hasta cuando eres divertido y brillante parece que cumplas una obligación. En seguida vuelves a meterte en tu concha y nadie te saca ni a rastras...»

Recostado sobre su pecho, le expliqué que la energía moral inempleada se transformaba en neurastenia. El contraste entre lo vivo y lo pintado, el sueño y la realidad, era tan vertiginoso que, a la larga, las personas como Rafael, Ricardo y yo, llegábamos a dudar de nuestros sentidos. Dije que nos estábamos volviendo locos lentamente y no veía ningún remedio a esta situación. Las frases se ordenaban en mis labios de modo mecánico, como si fuera otro quien las dijera, y ella me miraba con sus hermosos ojos oscuros y, de vez en vez, aprobaba con un movimiento de cabeza: «Duerme, querido. Mañana hablaremos.»

Al día siguiente, cuando descolgó el teléfono, el timbre sonaba desde hacía unos minutos. Ana respondía con voz soñolienta y me pasó el aparato dando un suspiro.

—Es Loles.

La frente me punzaba de cansancio y me senté en un canto de la cama, con las piernas colgando hacia fuera.

—¿Qué ocurre? —dije.

Hubo un largo silencio y una voz infantil murmuró: «Nada.»

—Nos has despertado... ¿Qué quieres?

—Escuchar tu voz. —Loles se detuvo aún unos instantes—. No he pegado un ojo en toda la noche... Al dejaros, caminé hasta el puerto y me entretuve en contar las estrellas...

—¿Qué?

—Es muy bonito. Fui al rompeolas y discutía con ellas... Con la Osa Mayor y Arturo y Casiopea y Vega de la Lira y Pegaso...

—¿Desde dónde me hablas?

—Hace más de dos horas que estoy en un bar precioso. Hay un montón de toneles de vino y una vitrina con los

46

trofeos de la Federación Colombófila Española. La paloma «Sultán» de don José Morenilla ha ganado dos copas de plata y es la favorita del próximo ...

—Oye, ¿qué te pasa? ¿Te encuentras mal?

—Al revés, me siento mejor que nunca. Todo el mundo me adora. Un pelotari vasco...

—¿Cómo dices que se llama el bar?

—...me ha pagado dos cazallas y quiere llevarme a su piso... El pobrecillo ha salido a la calle a buscar un taxi para...

—¿Qué calle?

—Soy feliz, Álvaro, inmensamente feliz... Me he hecho amiga de las estrellas y de un pelotari... ¿Conoces tú a algún pelotari?... El mío se llama Ricardo Segundo, como el personaje de Shakespeare. ¿No es magnífico?

—¡Loles!

—Es maravilloso oír tu voz... La noche entera he pensado en el tipo encadenado a la ventana... Si pudiéramos serle útil...

—Dime dónde estás.

Hubo unos segundos de espera y percibí la voz aguda de Loles y otra más cascada, de hombre.

—¿Qué sucede?

—Aquí hay un individuo que quiere discutir contigo... Un ex-combatiente de...

—¿Diga?

—¿Quién está al aparato? —preguntó el hombre.

—¿A quién tengo el honor de dirigirme? —repuse.

—¿Es usté el padre de la chica?

—No.

—Bueno, ¿la conoce usté?

—Sí señor.

—Convendría que viniera a buscarla usté en seguida... Está algo mareada y no puedo guardarla más tiempo en el bar. La policía, ¿comprende?

—Perfectamente. ¿Cuál es su dirección?

El patrono del bar me la indicó y Loles volvió a coger el teléfono.

—Quiero comprarme una paloma, Álvaro. Una paloma campeona como la de don José Morenilla...

—Óyeme bien. Ahora mismo voy a recogerte. Procura no beber más y, sobre todo, no te muevas.

—¿Y el pelotari? ¿Qué hago con el pelotari?

—Explícale que has telefoneado a tu padre y mándalo a la mierda... Dentro de quince minutos estoy contigo.

—Eres un cielo, Álvaro. Tu mujer y tú sois...

—Di al dueño que quiero hablar con él.

—¿El ex-combatiente?

—Sí.

Loles murmuró algo y el hombre se puso de nuevo al teléfono.

—Escúcheme usted —dije—. Soy abogado y le advierto que si la situación se complica puede resultar muy enojosa para usted. No la deje salir del bar bajo ningún pretexto, ¿entiende?

—Sí señor.

—Ahora mismo cojo el coche. Si le ocurre algo entre tanto, usted será directamente responsable.

Colgué al fin y, por espacio de unos segundos, contemplé el rostro tenso, fatigado, de Ana.

—¿Qué le sucede?

—Nada. Ha bebido más de la cuenta y está diciendo disparates.

—¿Qué piensas hacer?

—Por lo pronto, pasearla para que le dé el aire... En cuanto vaya mejor, la llevaré a su casa. —Comencé a vestirme y añadí:— Suerte que se le ha ocurrido telefonear. En el estado en que se halla sería capaz de cualquier locura.

Ana no dijo nada. En el cuarto de baño remojé la cabeza bajo el grifo y me peiné en un santiamén. Mientras me anudaba la corbata, ella se incorporó de repente y me miró con expresión rencorosa.

—¿Por qué no la acompañaste como te dije?... ¿Deseabas hacerle sufrir?

—No digas tonterías, Ana.

—No son tonterías... Te proponías enamorarla y lo has conseguido... ¿Estás contento?

—No tengo tiempo de discutir ahora... Lo que imaginas o supones es falso. Cuando regrese hablaremos.

—Bien, bien —dijo Ana—. Como tú quieras.

Bajé las escaleras corriendo y salí a la calle. Junto al coche advertí que había olvidado la llave de contacto y subí a recogerla. Ana se había encerrado en el cuarto de baño. Estuve a punto de llamar y disfrazar mi descuido en gesto de ternura, pero en el último momento desistí.

Tiré por Urgel y, al alcanzar la Ronda de San Pablo, continué por el Paralelo y Paseo Colón. Pese a lo temprano de la hora, los tranvías iban abarrotados de gente que se dirigía a los baños de San Sebastián. Era domingo y tiendas y almacenes estaban cerrados. Aparqué el automóvil en una de las travesías de Almirante Cervera y en seguida di con el bar.

Loles se había sentado en el fondo de la sala en compañía de dos desconocidos. Su gracioso perfil de muchacho contrastaba con el rostro duro y curtido de los hombres. Cuando entré, contemplaba los trofeos de la vitrina, mustia y abatida. Al verme, su expresión se reanimó.

—Al fin —dijo—. Estaba explicando a estos tipos que eras la persona más seductora que he conocido desde que nací... Mi amigo Álvaro. Te presento al campeón de...

—Ricardo Segundo, para servirle.

El pelotari me tendía la mano, pero hice como si no la viera y me encaré con el otro hombre.

—¿Es usted el amo?

—Sí señor.

—Venga conmigo un instante. Necesito hablar con usted.

Loles me miraba con los ojos brumosos e hizo un mohín de niña.

—Bésame, Álvaro. Bésame delante de éstos para que...

—Aguarda un poco.

—No, ahora... Ricardo Segundo nos ha invitado a su casa... Él también tiene una paloma premiada. Mejor dicho, un palomo... A las hembras les ponen un alambre con una pluma y, cuando sueltan una, los machos...

—¿Cuánto le debo? —dije al patrono mientras nos alejábamos hacia la barra.

—Son treinta con cincuenta más la voluntad.

Le di un billete de veinte duros y, sin esperar el cambio, volví y cogí por la mano a Loles.

—Mira los trofeos... Los del estante de arriba son los de don José Morenilla...

—No olvides el monedero.

—¿Nos vamos ya? —dijo ella. Parecía dolorosamente sorprendida y apuntó con el dedo al pelotari:— Ricardo Segundo quiere enseñarnos sus palomas... Es miembro fundador de la Federación Colombófila y dice que...

—Anda, no te entretengas.

Conseguí sacarla fuera y, en la calle, me echó los brazos al cuello y pretendía besarme.

—Soy feliz, Álvaro... Nunca he querido a nadie así... Se lo decía a las estrellas... Si Álvaro hace que suelten al hombre de la ventana...

—Camina todavía... Estamos cerca.

—He bebido para perder la timidez, ¿comprendes?... Ricardo Segundo quería besarme en la boca y yo pensaba: Es el personaje de Shakespeare.

Los transeúntes se detenían a observarnos y, al tiempo de acomodarla dentro del auto, formaron anillo en torno a nosotros.

—¿Por qué me miran? —dijo Loles—. ¿Saben que es el día más feliz de mi vida?

—Sí —dije—. Debe de ser por esto.

Cuando arranqué, me contemplé en el espejo y descubrí que tenía la frente perlada de sudor. Loles había apoyado su cabeza en mi hombro con ademán de abandono. Sus labios se movían buscando instintivamente los míos. Imaginaba las tentativas brutales del hombre y el corazón me latía con fuerza.

Al cabo del Paseo Nacional, continué en dirección a la torre y subí a la carretera del rompeolas. Cerca del faro había un parque de automóviles. El oleaje acometía los bloques de cemento y, sobre las rocas, numerosos pescadores aguardaban pacientemente una presa con la caña entre las manos.

Fui a pedir una taza de café al restaurante y se la hice beber tras haber disuelto en ella dos aspirinas. Loles se acodó en el muro de obra. El viento le alborotaba los cabellos y examinaba el mar, sin atreverse a alzar los ojos.

—¿Estás enfadado? —preguntó.

—Nos has dado un susto tremendo a Ana y a mí... ¿Cómo se te ocurrió?

—Dime que no estás furioso conmigo.

—No estoy furioso contigo, Loles... Pero no vuelvas a hacer esto... ¿Qué cara voy a poner ante tus padres?

—Me sentía tan dichosa... Me hubiera ido con cualquiera con tal de poder hablar de ti...

—Prométeme que en adelante serás razonable... Ana estará la mar de intranquila.

—Ya sé que no debiera decir ciertas cosas. Si no hubiese bebido, no te hablaría así... Álvaro...

—Sí.

—Dí que me quieres un poco. Aunque sea mentira... Dímelo.

—Ana y yo te queremos mucho.

—No, habla por ti.

—Te quiero, Loles. —Las sienes me punzaban de nuevo y encendí un cigarrillo para evitar la tentación de sus labios—. Vámonos ya. Tus padres pueden despertar de un momento a otro. No les hagas sufrir de modo inútil.

Loles no se movió. A un kilómetro escaso de la costa había un portaviones de la Sexta Flota Americana y contemplaba fijamente su silueta gris, de saltamontes amenazador y metálico.

—El año pasado, el día del santo de mi madre, encontré a un matrimonio danés en la Plaza Real y lo invité a comer con mi familia... Papá no paraba de decir: Es la pareja más fea que he visto en mi vida; en catalán, para que no le entendiesen. Y, cuando se fueron, me dijo: Bueno, a ver qué día traes a unos tibetanos... Desde entonces no se asombran de nada. Si te parece, podemos telefonearles y...

—Óyeme bien —le corté—. Soy un hombre respetado y respetable y no quiero que se diga por ahí que me dedico a raptar chiquillas. Ahora mismo te metes en el coche y andamos derecho a tu casa.

Loles obedeció. Sus ojos miraban obstinadamente algún punto fijo delante de ella y, mientras regresábamos por el rompeolas, comenzó a sollozar.

—Entonces, ¿era una mentira?

—¿Qué te pasa? ¿Puedes explicarme por qué lloras?

—Yo creí que hablabas en serio...

—¿En serio?, ¿de qué?

—De que me querías... Oh, ¿por qué me has engañado?

—Te he dicho la pura verdad, Loles. No me obligues a repetirlo dos veces.

Ella me encaró con expresión radiante. Sus lágrimas desaparecieron de modo instantáneo.

—Ha sido una noche realmente maravillosa... No deberíamos dormir jamás, Álvaro. Siempre que me acuesto me remuerde la conciencia... Si viviéramos mil años, aún... Pero somos tan fugaces...

—Fugaces, esta es la palabra. Por una vez dices algo sensato. —La imagen del pelotari me atormentaba y el descubrimiento de que estaba celoso me colmaba de amargura—. Apenas he llegado a la treintena y me siento sin fuerzas. Desde hace un par de años me sucede lo contrario que a ti... Me pasaría la vida durmiendo. Para mí es tiempo ganado.

—¿Ganado?, ¿a qué?

—No lo sé, Loles. El tiempo nos gasta poco a poco... Me gustaría tener veinte años y tu capacidad de entusiasmo. Por esto me atraes. Porque aún estás intacta y, contigo, las cosas parecen nuevas...

—¿Sólo por esto?

—Sí, sólo por esto. Por razones de comodidad.

Loles no me escuchaba e interrumpí el discurso. Subíamos por Vía Layetana y, pasada la Jefatura Superior de Policía, torcí hacia Urquinaona y Paseo San Juan.

—¿Qué tal te encuentras? —pregunté cuando llegamos.

—Perfectamente. —Ladeó el espejuelo para mirarse e hizo un gesto infantil con la boca—. ¿Crees que adivinarán que nos queremos?

—Deja de decir tonterías. —Había aparcado en el chaflán y cerré la llave de contacto—. Anda, voy contigo.

—¿No sería mejor que subiese sola?

—No seas niña —repuse—. Quiero acompañarte.

Ella se peinaba frente al retrovisor y nos besamos rápidamente. En el ascensor inventamos una excusa plausible: Loles había perdido las llaves del piso y, para no despertarles a media noche, prefirió quedarse a dormir en casa. Su madre nos abrió con naturalidad.

—Hola —dijo—. ¿Lo has pasado bien?

Los dos callábamos, sorprendidos, y, en tanto nos precedía por un corredor estrecho, explicó que Ana había telefoneado una hora antes con objeto de tranquilizarla y dijo que había obligado a Loles a dormir con ella.

—Mi hija no para de hablar de los dos. Está enamorada de usted y de su esposa... Todo el día los trae en los labios.

—Nosotros también la queremos mucho —dije.

Se empeñó en servirme una taza de café y, por espacio de diez minutos, tuve que encajar un predique acerca de los peligros del modernismo y la necesidad de un rearme moral. Al fin, conseguí deshacerme de ella y Loles me escoltó hasta la portería y aprovechó la relativa oscuridad del entresuelo para besarme. Cuando salí a la calle me sentía lleno de energía nerviosa. El va y viene de la multitud endomingada me producía una borrosa sensación de irrealidad. Empezaba a apretar el calor y busqué la sombra de un bar y bebí un segundo café.

El reloj marcaba tan sólo las diez y cinco y, después de las incidencias de la mañana, la perspectiva de una jornada casi virgen me deprimió profundamente. Mi anterior excitación había decaído, sustituida por una vaga ansiedad y la nostalgia de algún sueño irrealizable. Al otro lado de la barra había un espejo con un anuncio del Vermouth Cinzano y el resultado de la última eliminatoria de la Copa del Generalísimo. Durante largo rato me espié como si fuera otro. Estaba pálido y ojeroso y la barba de veinticuatro horas me envejecía. Mientras esperaba la vuelta, decidí pasar por el peluquero.

Encontré uno abierto a pocos pasos de allí y, sentado entre los clientes que aguardaban, observaba el reverbero del sol y la agitación de la calle. Cuando me tocó turno, experimentaba una intensa sensación de fatiga. El barbero comenzó a enjabonarme y me abandoné con delicia a la espuma de la brocha y al roce ligero de la navaja. Daba gloria cerrar los ojos y aspirar el aroma del Floïd y sentir el tacto suave de los dedos y la caricia fresca del aire. La brevedad del placer me entristeció. Al pagar, examiné con envidia la cola de los que habían llegado después. De haber sido posible, me hubiera sentado de nuevo con ellos.

Tenía el propósito de telefonear inmediatamente a Ana, pero, al subir al coche, mudé de idea y pasé por el domicilio del corresponsal de *El Caso*. Me abrió la puerta él mismo, todavía en bata y zapatillas, y me introdujo en una habitación pequeña, atestada de libros y clasificadores.

—¿Averiguaste algo? —dije.

Él revolvía el contenido de una cartera y sacó una cuartilla escrita a máquina.

—José Contreras Fernández —leyó—. Nacido en Caravaca, provincia de Murcia, el seis de febrero de mil novecientos veintiocho... Hijo de Francisco Contreras López y de María Fernández Castro. Profesión jornalero... Casado el once de junio de...

—¿Permites? —Me tendió el papel y le di una ojeada rápida: «Delincuente habitual contra la propiedad... Reclamado en fecha 7-II-1957 por el Juzgado Provincial de Murcia por robo de ganado perteneciente a don... Reclamado por el Juzgado Provincial de Alicante por...»—. Bien, bien, es cuanto me interesaba saber.

—Hablé unos instantes con él cuando le fotografiaban... Es un pobre diablo, no sabe leer ni escribir.

—¿Crees que puedo hacer algo?

—Eso, tú mismo. Mira la ficha... En mi opinión, con arrimos o sin ellos, nadie le quita sus cinco brejes.

Le ofrecí un paquete de Pall-Mall y, luego de darme fuego, evocó los tiempos en que frecuentábamos las aulas de la Universidad.

—Yo derivé en seguida hacia el periodismo. Derecho es una carrera con muchas salidas, pero de pocas entradas... A menos de tener talento y familia rica como tú, claro está.

—Todo es cuestión de suerte —repuse.

—No te vendas por modesto, que conmigo no va... Conozco muy bien tu fama de terror de los Juzgados. De hombre duro e insobornable...

Me acompañó a la escalera cogiéndome familiarmente del brazo y, al asomar a la calle, el resistero del sol me alucinó. Los coches circulaban a gran velocidad. Sin resolverme aún a ir a casa, me instalé en la terraza de un café. Me parecía que la gente caminaba con prisa innecesaria.

El camarero me trajo un cuba-libre de ginebra y, después de beberlo, me sentí más entonado y conduje lentamente Balmes arriba hasta llegar a Diagonal.

Ana había salido. La habitación estaba dispuesta y me tumbé a esperar en la cama. Un receptor de radio del inmueble transmitía el oficio cantado de la Catedral. El sueño me rondaba como un vértigo y cerré los ojos.

Me despertó el timbre del teléfono y miré instintivamente la hora. Eran las tres y diez.

—¿Álvaro? —Su voz parecía venir de muy lejos, entreverada con ruidos confusos.

—¿Dónde estás?

—He ido con Paco Iruña, fuera de Barcelona... Nos hemos quedado a comer en una tasca. ¿Hace tiempo que has vuelto?

—Sí... Me había dormido.

—En la nevera te he dejado un alón de pollo y patatas fritas. Si quieres algo más, en el armario...

—No tengo hambre.

—¿Estás de mal humor?

—¿Yo? ¿Por qué lo dices?

—No sé..., te noto una voz muy extraña.

—Ando medio dormido.

—Bueno, descansa, entonces... Como hace un día precioso, regresaremos algo tarde. ¿Piensas moverte de casa?

—Tal vez.

—Si sales, avísame... Lo de Loles ¿se arregló bien?

—Muy bien, gracias.

—Ya me contarás por la noche.

—De acuerdo.

—Hasta luego, Álvaro.

—Que te diviertas.

Al colgar el teléfono, abrí la ventana de par en par y escuché el rumor confuso de conversaciones y programas radiofónicos que subía del patio. Tenía el cuerpo acorchado y me duché con agua fría. En el frigider encontré el cuarto de pollo y las patatas. Había asimismo una botella mediada de Monopol y la apuré sin darme cuenta. Era la primera vez que comía solo desde hacía muchos años. El ruido de la nevera me zumbaba en los oídos y descorrí el gradulux para evitar el parpadeo del neón.

Al terminar, llamé a casa de Rafael. Me contestó la criada y dijo que habían salido los dos con el niño y no volverían hasta después de la cena.

—¿No sabe usted a dónde han ido?

—No señor.

Por un instante estudié la posibilidad de telefonear a Ricardo, pero la idea de ver a Tere me desanimaba. Colgué el aparato sin concluir el número y puse un poco de orden en mis papeles. Cuando acabé, jadeaba de cansancio. Temía que Loles apareciese de un momento a otro y decidí dar una vuelta con el coche.

Hacía un día de auténtico verano y, en la calle, se respiraba la atmósfera de excitación que precede a la época de las verbenas. Siguiendo por Infanta Carlota alcancé la plaza de España y continué hacia el Paralelo y muelle de San Beltrán. La gente que regresaba de la playa se estrujaba en la plataforma de los tranvías. Por la carretera del puerto franco corrían innumerables bicicletas. Al llegar al lugar en donde habían esposado al hombre me detuve y contemplé las rejas de la ventana. Los bañistas circulaban en grupos bulliciosos y la radio del merendero vecino transmitía el encuentro de la semifinal. Los clientes escuchaban sin interrumpir su partida de subastado. En el patio había una barquilla de poco fondo y el patrono explicaba a un niño la manera de pescar angulas.

—Cuando empiece la temporada te llevaré una noche —prometió.

Me bebí un cuba-libre de ginebra y di la vuelta hacia el cementerio. El bar de la parada estaba completamente lleno y los andaluces también jugaban a cartas y oían la radio.

«Dos a cero a favor del Madrid.»

Me acodé en un extremo del mostrador. La muchacha iba y venía muy atareada y, al verme, sonrió con coquetería.

—¿Lo de siempre?

—Usted lo ha dicho.

Me preparó un cuba-libre y, después de servirlo, se paró frente a mí, alisándose el pelo.

—¿Ha venido usté solo?

—Ya lo ve.

—¿Y la señorita?

—Tenía un compromiso —dije.

—Esta mañana volvió el hombre que quería hablar con usté...

—¿Qué hombre?

—El grandón de la cicatriz...

—¿El Zurguena?

—Sí señor.

—¿No sabe usted qué deseaba?

—Molestarle, supongo... Ése anda siempre metido en líos.

—¿No le dejó ningún recado?

—No. Me preguntó si conocía sus señas. Cuando le dije que pasó usté ayer, me puso una de estas caras...

Medié el vaso de un tirón. La muchacha permanecía frente a mí con los brazos en jarras.

—¿Dónde vive? —dije.

—¿Quién?

—El tipo ese.

—¿Lo va a ver usté?

—Así estiro un poco las piernas... ¿Para lejos de aquí?

—No lo sé de fijo. Pregunte usté en las barracas. Allá le informarán.

Me volvió la espalda con manifiesta desaprobación y, cuando acabé el cuba-libre, dejé tres duros encima de la barra y atravesé la explanada del cementerio.

En verano, los habitantes del barrio vivían prácticamente en la calle. Los chiquillos correteaban descalzos y me aproximé a un grupo de mujeres.

—¿Conocen ustedes a uno que llaman el Zurguena?

—Vaya recto y tuerza por el segundo camino a la derecha. En seguida dará con él.

Los receptores de radio se relevaban transmitiendo las incidencias del partido. Sentados a la vera del arroyo, los radioescuchas me observaban de refilón. En el segundo camino tropecé con un vendedor de helados. Los niños alborotaban alrededor del carrito y sorbían con avidez los cucuruchos.

—¿Vive acá uno que dicen el Zurguena?

El muchacho a quien pregunté señaló una choza cerrada.

—Es allí —dijo. Y añadió:— Se ha ido.

—¿Sabe usted dónde?

—No señor.

Golpeé inútilmente la puerta. Los vecinos se asomaban a curiosear e interrogaban al chico.

—Andará en Casa Valero —dijo uno—. Los domingos suele ir a ver a su cuñao.

—¿En qué parte dice?

—No recuerdo el número de la casa, pero no tié pérdida. ¿Conoce usté el baile?

—Sí.

—Pues quea justo atrás. Si sube usté a pie por el cementerio...

—Traigo coche.

—En este caso le acompaño y no se extravía usté.

—No se moleste, gracias. Me las arreglaré yo solo.

—No es molestia. Precisamente pensaba en ir allá... Si aguarda usté un minuto voy a buscá la chaqueta.

El hombre desapareció en el interior de una choza y regresó con una americana sobre los hombros. En el ojal de la solapa llevaba una escarapela de color negro.

—Bueno, cuando usté quiera.

Caminábamos en medio de la espectación de sus vecinos y algunos le guiñaban el ojo y preguntaban si iba a cenar al Ritz.

—¿Es usté amigo del Zurguena? —dijo.

—Lo conocí hace unos meses. Antes, venía mucho por el bar. Frente a la parada, ¿sabe?

—Es un chaval muy sano. En el barrio tól mundo lo aprecia...

Mientras subíamos por la carretera de Montjuich explicó que el Zurguena era un buen compañero y se escaseaba el pan por los otros: «Un poco tocado del ala, eso sí. Pero incapaz de hacer daño a una mosca.»

Pasado el estadio, tomé la avenida de la izquierda y aparqué detrás de la parada de taxis. Los altavoces del merendero difundían un ritmo dulzón. Las parejas se apretujaban en la pista y, bajo la inmensa parra que cubría la terraza de verano, los mirones observaban con envidia a los que bailaban. En la puerta, un guarda impedía la entrada a los chiquillos. Mi compañero se abría paso a empujones y preguntó a varios por el Zurguena. Soldados, chicas de servicio, andaluces de bigote fino y camisa de nailon, sudaban, giraban, se rozaban y manoseaban al compás de una voz húmeda y hermafrodita, en tanto que los grupos familiares bebían porrones de vino con gaseosa y desempaquetaban enormes sándgiches de sobrasada y rodajas de pan untado con tomate.

Después de dar la vuelta a la pista, probamos en el bar. El Zurguena tampoco estaba allí y mi compañero habló unos instantes con el patrono. Cuando salíamos dijo que —según el amo— había venido por la mañana con otro hombre y le pidió prestado dinero.

—Vayamos a casa del cuñao. Tal vez ande con él.

Le seguí por un camino fangoso en dirección a la hondonada. La búsqueda del Zurguena se había convertido insensiblemente en algo vital para mí. Me parecía que, en caso de encontrarlo, mi angustia se resolvería de una vez. Algunas chabolas de aquella zona poseían jardincillos diminutos y nos detuvimos ante una, adornada con tiestos de dondiego. Un hombre descansaba a la sombra de una higuera. Mi compañero le saludó con un ademán de la mano.

—¿Qué te trae por acá, José? —dijo el hombre.

—Verás. —José llevaba un cigarrillo apagado en la comisura de los labios y lo encendió con el mechero—. Este señó buscaba a tu cuñao y he pensao que a lo mejó tú podías darle razón.

—No sé dónde está —repuso el hombre. Sus ojillos taimados me recorrían de cabeza a pies—. ¿Deseaba alguna cosa de él?

Referí mi conversación con la chica del bar y su mirada se suavizó un tanto.

—¿Se llama usté Álvaro por casualidá?

—Sí.

—¡Vaya!... Pues no me los ha mentao pocas veces a usté y sus amigos... Esta misma mañana, antes de irse... —El hombre bajó bruscamente la voz—. Les voy a decir en confianza algo que no debe salir de entre nosotros, ¿entendío? —José aprobó con un movimiento de cabeza—. Mi cuñao se ha largao a Francia a buscá trabajo, sin pasaporte ni papeles...

—¿Cuándo?

—Hace unas horas. Se sacó un billete pá Figueras y, de allí, quié pasá a campo traviesa.

—Es absurdo. Si me lo hubiera dicho a tiempo habría podido solucionárselo legalmente. Tengo amigos acá y en París que...

—Mi cuñao lo anduvo buscando a usté durante semanas... Hasta fue al Palacio de Justicia a preguntá por usté. Como no tenía sus señas...

—¿No hay forma de poderlo alcanzar?

—¡Échele usté un galgo!... A estas horas Dios sabe dónde estará.

—¿No le ha dejado ninguna dirección?

—Ninguna, no señor... El que va con él anda conchabao con un guía que ya pasó a uno del pueblo pá Francia. Si tó va bien prometió mandarme unas líneas.

El hombre callaba y el malestar difuso que no me abandonaba desde hacia unos meses, cristalizó en una aguda y dolorosa sensación de impotencia. Después de exponer las razones del Zurguena para liárselas, la conversación languidecía y les invité a tomar una copa a Casa Valero. Al fin, conseguí que me acompañaran al coche y nos abrazamos.

—Volveré un día de estos —prometí.

Ellos me hacían adiós con la mano y apreté el acelerador.

Cuando llegué a casa eran más de las ocho. Ana acababa de ducharse y entró en la habitación envuelta en un albornoz playero. La belleza de sus facciones aparecía velada por una sombra de melancolía.

—Loles ha llamado preguntando por ti. Ha dicho que le telefonees. —Me rozó la mejilla con los labios y empezó a peinarse frente al tocador. Aunque me daba la espalda, sentía la presencia de su mirada, reflejada en el espejo. Hubo una breve pausa.

—Álvaro.

—Sí.

Ella continuaba peinándose con calma y su voz sonó profundamente triste: —Paco se ha enamorado de mí.

La música suave y macabra de la impotencia me acunaba de nuevo y formaba una sola cosa conmigo: —¿Y tú? ¿Le quieres?

Nuestras miradas se cruzaron un instante. Ana movió los labios con gesto de desamparo.

—No lo sé, Álvaro —dijo—. No lo sé.

Desde la cama, veía el escritorio, la cómoda isabelina, el biombo adornado con las cubiertas del *New-Yorker*... La mano de Ana alisaba mecánicamente sus cabellos y, de improviso, arrancó uno y lo examinó con estupor.

—Una cana.

Se levantó para mostrármela y aproximó su boca a la mía.

—Tenías razón, Álvaro —dijo—. Envejecemos.

TERCERA

Todo empezó a propósito de las cartas. Antes de acostarnos, Juan dijo:

—¿Me las dejas?

—Como tú quieras —repuse.

Las guardó en su escritorio y no volvimos a hablar del asunto. A partir de entonces él pasaba las noches en vela y comía sin apetito. Aunque en apariencia su vida se desenvolvía como de ordinario, su expresión no presagiaba nada bueno. Hablaba apenas y me miraba de modo curioso. Al fin, pregunté qué le ocurría.

—¿A mí? —dijo. Su sorpresa parecía sincera.

—Sí, a ti... Desde hace un tiempo te noto cambiado, como si dieses vueltas a algo y no quisieses decírmelo.

—No, no es esto —contestó—. He trabajado mucho este invierno... Debe de ser la fatiga.

Aquel mismo día decidimos mudar aires. Juan había entregado los últimos planos de la urbanización a la empresa constructora y disponía libremente de su tiempo hasta otoño. En Barcelona el calor era asfixiante. La mayor parte de nuestros amigos veraneaba en la Costa Brava o Sitges. Jaime y su mujer continuaban en Tossa y cerramos las maletas sin despedirnos de ninguno.

Juan llevaba una carpeta con sus proyectos. Recuerdo que cerca de Peñíscola aparcó el Seat en el andén de la carretera. Un grupo de obreros abría una zanja entre los pinos. Con un ademán irónico me mostró los chalets de la inmobiliaria.

—Todos los engendros que ves son obra mía. Luego vienen los valencianos y los pintan de colorines. Ah, y me

65

olvidaba de algo. Los muebles son de madera de cerezo y, en cada comedor, hay una Sagrada Cena en escayola.

—Tú no tienes la culpa de que la gente sea estúpida y exija esto —dije.

—Te equivocas —repuso—. El único estúpido soy yo.

La conversación se detuvo aquí. Después, en las semanas que siguieron, muchas veces pensé que debía haber insistido, pero era ya demasiado tarde. Juan se había encastillado en su querencia y rehuía hablar de su trabajo. Por espacio de mes y medio recorrimos una a una las playas de Alicante. Nos bañábamos de sol a sol y jugábamos a comparar nuestros morenos. El aire del mar le pintaba. En los merenderos tomábamos sardinas y pimientos asados y rociábamos la comida con clarete del país. Juan parecía a menudo absorto y sólo discutía de buena gana de vinos y política. Algunas noches se eclipsaba de repente y me dejaba en compañía de cualquier desconocido. Al regresar, preguntaba si lo había pasado bien. Lo hacía para demostrarse a sí mismo que era libre y yo no sabía qué intentar para curarlo. La carpeta dormía olvidada en el auto y los dos fingíamos ignorar su existencia.

Al cabo de seis semanas comenzaba a echar de menos la vida de Barcelona y barajaba a mis solas la conveniencia del retorno. El aspecto saludable de Juan era engañoso y temía su ociosidad prolongada, el abuso diario de somníferos. Las vacaciones no habían solucionado nada. Únicamente el trabajo podía centrarle de nuevo. Cuando se lo dije, él estuvo de acuerdo conmigo.

—Pero es demasiado pronto aún para volver —añadió—. ¿Qué te parece si probáramos más lejos?

—¿Más lejos? ¿Dónde?

—No sé —murmuró—. Un sitio en donde no haya alemanes. Nada más un par de semanas...

Era septiembre y la temporada decaía. Por la carretera los coches extranjeros subían en caravana hacia el norte. En Guardamar, los veraneantes bailaban en una pista im provisada a la sombra de los eucaliptos. El cielo se había afoscado poco a poco y, al atravesar los saladares, vi que las nubes se apelmazaban y amagaban cerrar el paisaje. La sal se amontonaba blanquísima en los secaderos y brillaba como con luz autónoma. Juan conducía de prisa y no se detuvo hasta el Mar Menor.

Cuando llegamos, el pueblo parecía abandonado. Las calles estaban vacías y el automóvil levantaba detrás de nosotros una espesa nube de polvo. Juan lo dejó junto a la iglesia y nos apeamos para ver el mar. El lugar carecía de playa propiamente dicha y las casetas de los bañistas avanzaban en el agua sobre desvencijados pontones de madera. Las olas morían en el veril del muelle, lentas y bajas. Algunas barcas de pesca se mecían suavemente, amarradas a los hincones. El horizonte anegaba la manga y el mar se tendía a pérdida de vista, sucio y abromado.

—Buen sitio —dijo Juan—. Aquí, a lo menos, uno puede trabajar con tranquilidad.

El paisaje evocaba un descolorido cromo de vacaciones y contemplé con aprensión el vuelo acompasado y mustio de las gaviotas. En el muelle no había absolutamente nadie. Los bancos de mosaico sin respaldo, las puertas y ventanas entabladas para protegerse del viento, contribuían a crear el clima decimonónico. En coche, erramos por las calles polvorientas hasta encontrar el hotel.

Era un edificio desierto y gris como los otros, con una hilera de balcones que caían al mar. El dueño nos recibió con un delantal sujeto a la cintura y fue a consultar el libro de registro antes de darnos habitación.

—¿Se van a quedar ustedes muchos días?

—No lo sabemos —dijo Juan—. Depende del tiempo.

—Septiembre, aquí, es magnífico. Mucho mejor que agosto, hay menos bullicio. En verano no puede usté dar un paso, tanto personal baja de Madrid y otros centros... El día de la Virgen, figúrense que trajeron dos orquestas.

—¿Vienen extranjeros?

—Extranjeros y de todos los rincones de España. Pero el factor más importante nos llega de Murcia. —Rectificó:— De Murcia y de la huerta.

El moblaje de la habitación se reducía a dos camas, armario, mesa y sillas. El dueño nos ayudó a subir el equipaje y fuimos a dar una vuelta por el pueblo.

El mar parecía engrosar conforme oscurecía. Desde el pontón del hotel escudriñamos los islotes, medio velados por la bruma. Un pesquero navegaba a orza de viento, ciñendo mucho, y cruzó la proa a una minúscula embarcación de remo. Se dirigía hacia San Javier, bordeando la costa y, al alejarse, me volví a observar el bote. Un hombre bogaba picado luchando contra corriente. Mientras ganaba barlovento divisé a fil de popa la silueta de una mujer: una muchacha morena, vestida con un jersey oscuro y pantalones pirata. Cuando atracaron en el pontón, el hombre desarmó los remos y la ayudó a desembarcar.

Durante la cena la vimos de nuevo en el comedor. Era el único cliente del hotel con excepción de nosotros y, al sentarse en la mesa vecina, nos deseó las buenas noches. El dueño le trajo una botella de vino ya mediada. Ella dijo que no tenía hambre y se lamentó del vendaval.

—Esta tarde por poco me mareo... Suerte que no había bebido.

—Verás tú qué sol hará mañana. Al amanecer, el viento cambia de dirección y barrerá las nubes.

—Ojalá sea verdad.

—Seguro, hija, seguro. Aquí el sudoeste no dura. Mañana podrás ir a la manga.

El patrono regresó detrás del bar y nos espiaba acodado en la trampilla del mostrador. Al acabar la botella, la muchacha pidió otra. En seguida se marchó sin probarla y dijo que iba a jugar al dominó al pueblo. El dueño la siguió con la vista. Mientras retiraba los cubiertos nos explicó que era portuguesa.

—Su padre es Almirante de la Armada y ha recorrido

mucho mundo. Pues bien, cuando se deja caer por acá siempre lo dice: Lo mejor que conozco en materia de playas es Miami y esto. La chica veranea con nosotros desde que tiene diez años.

—¿Ha venido sola?

—Sí, sola. El aire del país es muy bueno para la salud. Usté ve llegar a los niños flacos y demacraícos y, al cabo de unos pocos días, no los reconoce usté, tanto se crecen y adelantan. No es porque yo quiera hacer reclamo o propaganda del hotel, no señor. Pero es un sitio magnífico.

Aquella noche dormimos los dos de una acostada. Cuando abrí la ventana, eran más de las diez. El horizonte seguía tan brumoso como la víspera y observé largo rato los pontones vacíos, el mar tendido y muerto. Unas mujeres charlaban sentadas en la arena, al pie del muelle. El agua les llegaba escasamente a la cintura y se balanceaban inertes, a merced de las olas.

Juan continuaba amodorrado a causa de los somníferos y bajé al comedor. El dueño molía café tras la barra. Al verme sonrió.

—¿Han descansado ustedes bien?

—Muy bien.

—El día no se acaba de arreglar —explicó—. El viento se ha entablado y las barcas no han podido ir de pesquera.

—Igual da —repuse—. Nos bañaremos en alguna playa.

—Si no se alejan mucho, pueden alquilar un bote.

La portuguesa se había desayunado ya. En su mesa había una taza vacía y un platillo con churros. Juan no apareció hasta media hora más tarde.

—¿Adónde vamos? —dijo.

—A cualquier playa. Quiero tumbarme en la arena y leer.

Asomamos al muelle. Por el Paseo corrían algunos niños. Los bañistas chapoteaban en los pontones y dos viejos disponían una andana de redes frente a la Pescadería. Juan miraba a su alrededor ávidamente y aseguraba que en su vida se había encontrado mejor.

—Me entran ganas de plantar a esos cabrones e instalarme a vivir aquí —dijo.

Los pescadores aguardaban en el poyo del cobertizo. Sentado en el suelo, un muchacho enderezaba los juncos de una nasa. Juan se aproximó a ver y un hombre todavía joven vino a nuestro encuentro y lo reconocí por la boina. Era el remero del bote.

—Es para pescar anguilas —dijo—. Se embocan por la faz y luego ya no salen.

Juan le ofreció su cajetilla de Chester. El remero le dio lumbre haciendo hueco con las manos.

—¿Quieren dar una vuelta?

—Nos gustaría ir a la manga.

—Hoy no se puede. Cuando el viento sopla de tierra hay mucha marejada. Desde aquí no se dan ustedes cuenta. Saliendo lo verán.

—¿Hacia dónde podemos ir?

—A Los Urrutias. Si nos distanciamos de la costa, el mar se pica en seguida.

Le acompañamos al pontón y el hombre embarcó los remos en el bote y me sostuvo mientras saltaba a la bancada. Juan y yo nos sentamos enfrente de él. Estábamos a socaire del viento y la barca se movía apenas. El hombre armó los remos sujetando cuidadosamente el estrobo en torno al escálamo y aproamos hacia el mar.

El pueblo dormía gris y muerto. Una niñera con cofia y delantal blanco nos hizo adiós desde uno de los pontones. Los bañistas seguían chapoteando junto al muelle y el hombre explicó que pasaban el verano así y nunca se decidían a embarcarse.

—¿Por qué? —dije.

—Esa gente de la huerta tiene miedo al agua. En la manga hay playas muy chulas y no se asoman a verlas ni por curiosidad. Los madrileños, es distinto. A ellos les agrada la mar.

Preguntó si parábamos en el hotel y dije que sí.

—El señor Joaquín, el amo, es amigo mío. Antes de enviudar salía a menudo de pesca.

—¿Qué tal le va el negocio?

—Durante la temporada se defiende. En agosto llena el hotel. Luego lo cierra en octubre y ya no lo abre hasta el verano

Navegábamos a lo largo de la costa y apuntó con el brazo a las instalaciones de la base hidronaval.

—La tienen prácticamente abandonada. Ahora, la mayoría del personal está en San Javier.

En tiempo de la guerra, en cambio, había varias docenas de hidros y los técnicos construyeron un campo de aviación.

—Le dicen el Campo del Ruso —agregó.

Aguantábamos de orza y el bote cabeceaba. Entre la base hidronaval y Los Urrutias se extendía una llanura ocre, salpicada de palmerales y molinos. De trecho en trecho, el viento levantaba tolvaneras de polvo anaranjado.

—Si son aficionados a la pesquera les llevaré en mi barca de motor. La semana pasada la dimos a la banda para limpiarle el fondo, pero mañana estará lista y calaremos las redes.

—¿Cómo pescan? —dijo Juan—. ¿Con palangre?

—No, acá salimos a la dorada o al mújol. Con la moruna o la pantasana.

El viento soplaba cada vez más duro y el mar rompía a bordo y nos rociaba. Riendo, el hombre dijo que pasáramos a la bancada posterior. A vista de Los Urrutias ganamos la proa a otro bote. El remero —un pescador viejo— singlaba con una espadilla por la popa y saludó con voz ronca a nuestro amigo.

—¿Quién es? —preguntó Juan.

Sin dejar de bogar, el hombre explicó que era el padre

del muchacho que tejía las nasas en la Pescadería. «En el pueblo le dicen el Morillo, dijo. Aquí a todos nos conocen por un mote.»

—¿Y a usted? ¿Cómo le llaman?

—A mí me dicen el Isabelo —contestó con una sonrisa.

Al aproximarnos a la playa, el temporal amainó. Las olas se acostaban, bajas y tendidas, y trasparentaban los guijarros del fondo. Luego, a medida que el viento caía, desaparecían por completo y no se divisaba rizo alguno en toda la lumbre del agua.

El bote araba, sondando casi el suelo con la quilla, e Isabelo dejó de bogar, desarmó uno de los remos y comenzó a fincar con lentitud, sirviéndose de él como de una palanca. Cuando la barca tocó seco, desenrolló una soga de esparto y arrojó el pedral al mar.

Me quité el pantalón y la blusa e Isabelo me ayudó a bajar de la barca. El agua me llegaba escasamente a los muslos. Juan se había desvestido asimismo y propuso que fuéramos a beber una cerveza en el pueblo.

—Gracias —dijo el hombre—. Yo les espero aquí.

—¿Conoce usted algún bar?

—En la carretera hay uno, pero deben cubrirse para ir allí. Si no, los civiles les multarán.

Isabelo nos alargó las camisas y se sentó en la tapa de la regala con las piernas colgando para afuera. Juan le obligó a coger un paquete de Chester. La orilla de la playa estaba cubierta de algas secas y el suelo cedía bajo mis pies. El reverbero del sol hacía daño a los ojos.

En Los Urrutias no había un alma —como si sus habitantes hubiesen desalojado después del último vendaval. Las casas tenían puertas y ventanas entabladas. La única nota de color la ponían las farolas y alguna que otra palmera, desmedrada y amarilla.

—¿Crees que encontraremos algo abierto? —dije.

Juan parecía feliz en medio de aquella desolación. Su vitalidad renacía al contacto de la miseria y las pupilas le brillaban como en la tarde en que me llevó a Montjuich y se emborrachó en un cuchitril con los hombres. Su infancia había sido la de un niño rico, con los caprichos y gustos pagados, y no conocía las noches en vela ni las colas, ni las arrebatiñas por un mendrugo de pan. Yo lo había vivido en los años de guerra y de postguerra y el simple recuerdo me horrorizaba.

—Probaremos —dijo.

Le seguí por una traviesa hasta el primer zaguán. Dentro, un chiquillo trenzaba una cuerda de esparto y, cuando le preguntamos, se levantó y nos guió a la carretera. Casi en la esquina, había un edificio de una planta con un anuncio de PEPSI-COLA en forma de tapón.

—Es allí —dijo. Pero añadió:— Está cerrado.

—¿No hay ningún otro?

—No.

Regresamos a la playa. Isabelo fumaba con la vista perdida en el horizonte y nos tumbamos sobre las algas secas de la orilla. El bote del viejo había desaparecido de nuestro campo visual. Las islas del Mar Menor emergían emborronadas por la calina y, por espacio de unos minutos, permanecí con los ojos cerrados, pensando en Barcelona y los amigos.

Cuando los abrí, Juan continuaba tendido a mi lado y desvió la vista hacia el mar.

—¿Qué haces? —dije.

—Nada —murmuró—. Te miraba.

Se puso bruscamente de pie y agregó:

—¿Nos largamos?

Me zambullí tras él en el agua y, al trepar a la barca, nos vestimos e Isabelo haló el cabo del pedral. De nuevo maniobraba con el remo para evitar los rasconazos de la quilla y, cuando dejamos de tocar fondo, lo ajustó al tolete y comenzó a bogar arrancado.

Bordeábamos la costa, dando la popa al viento, y el mar cabrilleaba. Isabelo remaba satisfecho. A cada palada la barca parecía resbalar sobre el agua. Le pregunté si estaba casado y dijo que sí.

—Mi mujer me ha dado dos chavales, un varón y una hembra.

—¿Es del pueblo?

—Sí señora. En mi familia todos lo somos.

Explicó que nunca se había movido del país, excepto en los años en que sirvió en la Marina. Mientras nos ponía los cubiertos, el señor Joaquín dijo que Isabelo las había pasado muy negras al morir el padre, pero que, de un tiempo a aquella parte, las cosas le iban mejor.

—Su esposa es muy trabajadora y, además, él lleva la barca de su cuñado y, ahora, van a medias.

—Mañana salimos a pescar con él —dijo Juan.

La portuguesa comía en la mesa vecina y nos sonrió. Era una muchacha delgada, de rostro agradable, con un amago de bozo sobre los labios. El señor Joaquín no le sacaba los ojos de encima y, cuando subimos a sestear, Juan dijo que tenía mucho sexapil.

—¿Por qué no te vas con ella? —le dije.

—Espera —repuso—. Todo llegará.

Se echó en la cama, volviéndome la espalda, y cerré los postigos y me acosté también. Las moscas zumbaban en la habitación y el calor era insoportable. Los muelles del colchón de Juan reproducían con fidelidad sus movimientos. Al cabo de unos minutos le oí pronunciar mi nombre a media voz, pero no contesté e hice como que dormía.

A las seis salimos a dar un paseo. El cielo continuaba aplomado y, hacia la manga, unas nubes amazacotadas obstruían el horizonte y se extendían en dirección a las islas igual que una humareda. El muelle y los pontones estaban desiertos. Las barcas amarradas cabeceaban a causa del oleaje y nos detuvimos a contemplar el mar frente a la Pescadería.

—Es un lugar muy animado —dije.

Juan no replicó, y me colgué de su brazo y apoyé la

cabeza contra su hombro.

—No me hagas caso, querido. Hablo únicamente por hablar. Se me da igual estar aquí que en otro sitio. Lo importante es que te encuentres bien y puedas trabajar a gusto.

La portuguesa venía por la calle con unos muchachos del pueblo. Vestía tejanos ceñidos y una blusa escotada y, al pasar, nos deseó las buenas tardes. Mientras se alejaba, Juan la siguió con la vista.

—Aunque no lo parezca, soy muy celosa —dije—. Cuando te interesas por otras mujeres me enfurezco.

—¿Qué quieres que haga? ¿Que no las mire?

—No, querido, no he dicho eso... Al contrario, me encanta... Sólo quería explicarte que a las mujeres nos agrada nombrar las cosas. Si estamos celosas, lo confesamos sin ninguna vergüenza. Los hombres, nunca se sabe lo que pensáis. Si hablaseis un poco más, estoy segura de que podríamos entendernos.

Juan esbozó una mueca ambigua y regresamos al hotel sin decir palabra, cariñosamente enlazados por la cintura. El dueño nos esperaba en un sillón de mimbre junto a la puerta.

—Qué, ¿de paseo? —Sin aguardar la contestación apuntó con el dedo hacia el mar e hizo ademán de soliviarse—. ¿Ven aquella clara?

—Sí.

—Eso significa que el viento muda de dirección. Mañana escamparán las nubes.

Encima del mostrador del bar había un gorro de marino de la dotación del *Lepanto*. Anticipándose a nuestra curiosidad, el señor Joaquín nos informó que su hijo había venido a pasar el fin de semana desde Cartagena.

—Estaba franco de guardia y lo ha aprovechado para descolgarse unas horas. Nada más llegar salió a dar una vuelta con María... Es un chaval muy majo.

—¿María?

—La portuguesa. Los dos se conocen desde niños.

Luego —como calláramos— refirió que el chico tenía un carácter muy alegre y se hacía valer en todas partes. En Cartagena se había relacionado con gente de viso, dijo, y apenas rompía los zapatos por el pueblo. Con sus ahorros se había comprado dos trajes a medida, un reloj de oro Duward y una gabardina comando. Al cumplir el servicio, su idea era colocarse en algún Ministerio, en la capital.

—A ese, cualquiera lo mete en pretina... Es un fenómeno, les digo. Igualico, igualico, a su padre.

Aquella noche, la portuguesa no se presentó a cenar. La estuvimos aguardando hasta las diez en el comedor desierto y, en vista de que no venía, subimos a la habitación. El café me había quitado el sueño y, durante largo rato, oí removerse a Juan. A medianoche me desperté otra vez y, con sobresalto, vi su sombra recortada a contraluz en el hueco de la ventana. Fuera, alguien rasgueaba una guitarra y un coro de voces salmodiaba en sordina una romanza tierna y melancólica.

Me levanté a mirar de puntillas. La luz de la luna transfloraba desmayadamente entre las nubes y distinguí una rondalla de mozos que cantaban bajo el balcón de la portuguesa. María vestía un camisón blanco con ribetes de encaje y escuchaba la letrilla sin moverse. Al terminar, los mozos la saludaron con silenciosos ademanes y ella se inclinó sobre la balaustrada y les tiró un beso.

Por la mañana creía haberlo soñado, pero el señor Joaquín guiñó un ojo mientras servía el desayuno y preguntó si la serenata nos había impedido dormir.

—En absoluto —dije.

—Fue una idea de mi hijo —aclaró—. María cumplía ayer diecinueve años. Él trajo la guitarra y los músicos.

El sol reverberaba sobre el agua plomiza, pero el horizonte seguía fosco y soplaba el terral. Los veraneantes de la huerta se remojaban al pie del muelle y un niño con gorrito playero y tirabuzones jugaba en el pontón del hotel bajo la mirada severa de la nodriza. Frente a la Pescadería había una docena de barcas amarradas a los hincones. El encargado pesaba las cajas en una romana. Un corro de hombres asistía a la operación en silencio.

Isabelo miraba también, con las manos hundidas en los bolsillos. Dijo que los pescadores venían de San Javier y habían pillado en un solo lance a vuelta de cinco arrobas de mújol.

—¿Por qué no lo venden en su pueblo? —preguntó Juan.

—Aquí lo pagan más caro.

En el Paseo los viejos aseguraban la plomada de las redes e Isabelo nos llevó a los pontones y nos presentó a su cuñado. La barca estaba a pocos metros de allí. Mientras encendía el mechero dijo que, hasta unos meses antes, navegaba a vela, pero que, cuando compraron el motor, la desarbolaron.

—Así andamos mucho mejor —concluyó.

Nos habíamos sentado en los cuarteles de la escotilla y el ruido del pistón ahogó las palabras. La chimenea arrojaba bocanadas de humo sucio. Isabelo cerró el timón a la banda y viramos por avante, orzando en dirección a San Javier.

El cuñado fumaba, con la boina echada atrás, y observé la estela de espuma de la barca, abierta como un surco recién arado. Minutos más tarde el viento empezó a escasearse. La proa hocicaba ligeramente e Isabelo desvió la caña del timón. Nos dijo que de mañanica habían calado la moruna, pero la corriente era fuerte y alejaba la dorada.

Juan fue a sentarse junto a él y, de improviso, le preguntó si había participado en la serenata en honor de María.

—¿Yo? —Isabelo le miró como si desbarrara.

—Esta noche hubo una ronda de mozos, ¿no la oístes?

—Oírla, sí la oí.

Con voz ronca explicó que la portuguesa se divertía encendiendo a los muchachos del pueblo y todos la miraban como tontos y le bailaban el agua al son que ella quería.

—Su padre la ha enviado aquí castigada, para que no fulanee... y va a volver a su casa peor que antes.

—¿Y tú? ¿No has paseado con ella?

—Probó una vez —dijo enrojeciendo—. Pero ya no volverá.

—¿Por qué?

—Imaginaba que iba a jugar conmigo como con los otros y le di una lección. Si uno se vende por hombre, lo es hasta el fin. A mí, quien me la hace, la paga. No soy ningún chiquillo.

El cuñado vigilaba en la proa e hizo señal de cambiar el timón a la derecha. Habíamos llegado al caladero y la encorchadura de la moruna boyaba a flor de agua. Isabelo detuvo el motor. Al quedar inmóviles, el cuñado haló el primer gallo a bordo y, bogando lentamente con un remo, empezó a cobrar el arte.

Había docenas de doradas enmalladas en la moruna y, a medida que tiraba de ella, Isabelo las desmallaba y las echaba a cubierta. Juan contemplaba el espectáculo fascinado. Los peces coleaban ágiles y brillantes. El cuñado halaba cuidando de no enredar pedrales y gallos y, cuando el arte estuvo fuera, dejó el remo a Isabelo y lo volvió a largar poco a poco, hasta calar completamente la red.

Encendieron de nuevo el motor. Ahora seguíamos la línea del viento y corríamos en popa, enfilando por donde habíamos llegado. Isabelo sacó una navaja del bolsillo y comenzó a abrir las doradas. Les quitaba las vísceras y, una vez limpias, las metía en un cubo de zinc. Al terminar tenía las manos rojas y la sangre coloreaba el agua del cubo. Después la escurrió por encima de la borda y baldeó la cubierta. El agua desapareció por los imbornales.

—Poca pesca —dijo mientras se secaba—. Veremos qué tal se nos da esta tarde.

—¿Salís otra vez?

—Sí señor. En verano calamos dos veces.

Isabelo aceptó el cigarrillo que Juan le ofreció y rió enseñando los dientes.

—¿Y la señora? ¿No se ha aburrido?

—En modo alguno. Lo he pasado muy bien.

—Esto es lo mismo siempre. Con una vez, está visto... Si pescamos el mújol, ya les daré razón.

Caminando por el Paseo, Juan dijo que Isabelo tenía muy buena planta y, mudado y afeitado, debía de atraer a las mujeres. Me miraba de soslayo y, por la manera de expresarse, comprendí que estaba celoso de su virilidad.

—No sé, no me he fijado —dije.

Alguno había arrimado una bicicleta a la pared del hotel. En el perchero divisé el gorro de marino del chico.

El dueño se interesó por nuestra excursión y se lamentó de la indocilidad del tiempo.

—En mi vida he visto racha igual. O aclara esta noche o no me llamo Joaquín.

Antes de servirnos de comer nos invitó a degustar su Jumilla. Llenó dos vasos hasta el borde y preguntó si conocíamos el francés.

—Algo sabemos —dijo Juan.

—Aquí tengo una postal de un cliente que vino a principios de verano. Un industrial de Tulús, un tal mesié Lelón... Yo, la verdad, mi fuerte no es las lenguas.

Le tendió una cartulina en colores con una vista general de la ciudad. El texto de la misiva era breve. Juan explicó que el francés le enviaba muchos saludos y confiaba en poder visitarle el próximo año.

—Todos escriben lo mismo —exclamó el señor Joaquín satisfecho—. Será por la tranquilidad que reina aquí o por el clima o por lo que sea, pero es de cajón. Quien pone una vez los pies en el pueblo, vuelve.

Tras guardar cuidadosamente la tarjeta, se acodó en el mostrador, frente a nosotros.

—Me agrada coleccionar postales, ¿saben ustedes? Ésta es la primera que me mandan de Francia.

—Yo creí que venían muchos franceses —dijo Juan.

—No, por acá bajan, sobre todo, alemanes, daneses, escandinavos... —Se encogió de hombros, como si el esfuerzo de enumerar le agotara—. En fin, del mundo entero. Menos franceses.

Hubo una pausa. Juan dijo que el Jumilla tenía muy buena boca. El señor Joaquín se esponjó.

—En la provincia hay vinos fenómeno, para todos los gustos... Igualico que este pueblo. Aquí puede usté pescar, pasear, ir al campo... Cada quién según sus preferencias.

La portuguesa irrumpió en medio de la comida con una toalla sujeta sobre la frente. Se había lavado y perfumado el cabello con agua de colonia y preguntó al señor Joaquín si tenía noticias de sus padres.

—No, no hay nada para ti.

María le observó con rencor. Sus ojos oscuros llameaban. Por un instante creí que iba a gritar, pero se dejó caer sobre una silla, sin un suspiro.

—¿Qué esperan? ¿Que me pudra para siempre en este dichoso pueblo?

—Ten paciencia, hija. —El señor Joaquín se aproximó y le dio una topada cariñosa en el hombro—. Dijeron que llegaban a mediados de mes. No pueden tardar ya.

—Como no vengan pronto me largaré. Estoy harta de aguardarles. Harta.

—No digas tonterías. —En la solicitud del señor Joaquín había una chispa de lujuria—. ¿Qué harías sola por esos mundos?... Tú les esperas aquí y te vas con ellos.

—Hace más de dos meses que paro en el pueblo. Quiero volver a la ciudad.

—Volverás, hija, volverás.

—Soy joven —gimió ella—. Tengo ganas de disfrutar de la vida.

—Disfruta, ¿quién te lo impide?

—¿Aquí? —La portuguesa abarcó con una mirada el comedor desierto, el rimero de sillas del rincón—. ¿Qué quieres que haga aquí?

—No sé; pasear, pescar, ir con los chicos...

—Oh, calla —dijo ella—. Déjame en paz.

El resto de la comida transcurrió en silencio. La portuguesa miraba a la calle con obstinación, como acechando algo imprevisto. El señor Joaquín iba y venía atareado. Cuando subimos al cuarto, Juan opinó que la muchacha parecía sinceramente triste y su desesperación no era fingida.

—Deberías ir a consolarla —dije.

Él sonrió y se tumbó en la cama. Antes de dormir lo vi con los brazos bajo la nuca, boca arriba, haciendo vedijas con el humo del cigarrillo.

Al despertar, una hora más tarde, el viento persistía. El mar cubría la playa del muelle, bajo y acompasado. Juan se remojaba la cabeza en el grifo y propuso que diésemos un paseo en coche. Encima de su cama había la carpeta de sus proyectos. El suelo estaba sembrado de colillas y dije que sí.

En el vestíbulo no encontramos a nadie. Alguien había retirado la bicicleta de la pared y, al entrar en el Seat, Juan limpió los cristales. El pueblo continuaba dormido como de costumbre. Las casas de los veraneantes se alineaban cerradas y vacías. Zigzagueando, para evitar los baches, alcanzamos la carretera general y torcimos en dirección a Cartagena.

Después de los tinglados de la base, se extiende una llanura campa, de tierra ocre, perpetuamente asolada por el viento. Las palmeras orean sin tregua sus penachos desplumados y, escaqueados por el molinar, se divisan cortijos, higueras achaparradas y amarillas y borricos de ojos vendados que giran en torno a las norias. Una pareja de civiles con el mosquetón terciado a la espalda, pedaleaban delante de nosotros. Cuando los dejamos atrás se detuvieron y vi que desabrochaban el barboquejo de los tricornios y se enjugaban el sudor de la frente.

Un kilómetro más allá de Torre del Negro, Juan paró el coche a la orilla de la cuneta e hizo señal de que me apeara.

—Mira —exclamó.

Un joven con gorro y vestido de marinero se dirigía en bicicleta a un bosquecillo de olivos. Sentada en la barra iba una muchacha morena con una rebeca azul. Al cabo de pocos segundos —dándonos siempre la espalda— sesgó por un camino de herradura y los dos desaparecieron de nuestra vista, como si la tierra los hubiera tragado.

—¿Crees que son ellos? —dije.

—Quién sabe —repuso Juan—. A lo mejor son amantes.

Mientras seguíamos hacia Cabo de Palos discutimos la posibilidad. Juan sostenía que María observaba una conducta de mujer y yo le llevaba la contra. La carretera cortaba la llanura como el filo de una navaja. Nopales, agaves, eucaliptos, barajaban sus distintos tonos de verde. En San Ginés de la Jara nos detuvimos a fotografiar una hacienda de estilo colonial, con palmeras cargadas de dátiles, miradores y muros blanquísimos. Cabo de Palos surge de pronto, tras un muro de piedras secas y, en tanto que Juan iba a atalayar la vista del faro, vagabundeé por el pueblo y me senté a beber un quinto en un cañizo, frente al embarcadero de la sal. Los cargadores trabajaban aún, pese a lo avanzado de la hora, y, con desazón inexplicable, contemplé sus sombreros de paja, sus cuerpos oscuros, sus pantalones sucios y desgarrados. Sin saber por qué, me sentí terriblemente sola. Me acordaba de Jaime y los amigos y tenía ganas de llorar.

Cuando Juan volvió, el sol había perdido el equilibrio y resbalaba sobre el techo de launa de las chozas. El dueño se acercó a preguntar qué deseaba. Juan pidió otro quinto de cerveza y dijo que el panorama de la manga era magnífico.

—Hay playas de arena de varios kilómetros de largo. Uno puede tomar el sol desnudo.

Anunció que, en cuanto abonanzara, iríamos a visitar las golas. Yo intenté sonreír sin éxito y preguntó qué me ocurría.

—He caminado mucho —dije—. Si me acuesto un rato iré mejor.

Regresamos al pueblo. Ventaba fuerte por el campo de Algar y los molinos de velas giraban con crujido sordo. Hacia el mar, el cielo era de color gris plomizo. Mientras conducía, Juan me miraba con solicitud y yo le pasé la mano en torno al cuello y le acaricié la mejilla.

—Querido —dije—. Querido mío.

Al cabo de unos minutos, mi fatiga se desvaneció. La llanura se desperezaba después del sopor de la tarde. Se avecinaba el momento del crepúsculo y, por los caminos, se veían hombres y mujeres montados en borricos, de regreso de las faenas del campo. La polvareda velaba todavía Los Urrutias y, de trecho en trecho, una pareja de civiles montaba guardia al borde de la cuneta, con las manos apoyadas en la abrazadera del mosquetón.

Juan aparcó junto al bar en donde María jugaba al dominó con los pescadores. No dio con ella y seguimos la calle hasta la puerta del hotel. El gorro de marino colgaba otra vez del perchero. El señor Joaquín nos recibió muy afable y preguntó por la excursión.

—Anduvimos por Cabo de Palos —dijo Juan.

—¿Les ha gustado?

—La vista es espléndida.

—Lo único bueno que tiene, sí señor. —El señor Joaquín aprobó con movimiento de cabeza—. Con eso y todo, no sería yo quien pusiera los pies en aquel pueblo.

—¿No?

—No señor. No es que yo quiera hacer el reclamo de la región, pero el personal de allí no es noble como por esta parte. Aquí, si alguno tiene algo contra usté, se lo dice a la cara. Allá no. Muchas sonrisas y buenas palabras y, a la que usté se descuida, le roban hasta el pellejo. Son muy traidores, créame.

Le dejamos desahogarse contra la gente de Palos y subimos a descansar a la habitación. Juan me despertó a la hora de cenar. La minuta era la misma de los días anteriores y comí con desgana el pescado frito, los huevos anegados en aceite, el queso de bola y los bizcochos. Juan vació sin mi ayuda la jarra de Jumilla. Aunque aguardamos largo rato, la muchacha tampoco apareció. Mientras retiraba los platos, el señor Joaquín dijo que estaba indispuesta.

Aquella noche —para dormir— me fue preciso recurrir a los somníferos. Me levanté tarde y vi que Juan había salido ya. El suelo estaba cubierto de colillas y la carpeta seguía sobre la mesa —tal y como la había dejado la víspera, antes de nuestra excursión.

El tiempo continuaba estacionario. Nubecillas aborregadas bogaban rumbo oeste. El mar reverberaba, bajo y muerto, y las gaviotas se cernían inmóviles en el aire y, a intervalos, descendían en furiosa calada, buscando presa.

Encontré a Juan en el comedor y me comunicó que el hijo del señor Joaquín había regresado a Cartagena con la bicicleta, al rayar el alba.

—¿Cómo lo sabes? —dije—. ¿Le has visto?

—No —repuso—. Dormía aún... Acaba de decírmelo su padre.

Otra vez nos perdimos en un mar de cábalas y conjeturas. ¿Quién tenía razón? ¿La muchacha? ¿El señor Joaquín? ¿Isabelo? A las once, el cuñado vino a avisarnos de que salían a pescar el mújol y expliqué a Juan que no me había repuesto totalmente y le pedí que fuera solo. En el colmado había comprado una docena de postales con vistas del pueblo y puse unas líneas a todos mis amigos. La última la reservaba para Jaime, pero, luego de escribir su dirección, la rompí en mil pedazos.

De vuelta de Correos, me fui a bañar entre los pontones, con los veraneantes de la huerta y las nodrizas. María
llegó un poco más tarde en bikini y tocada con un gorro
de goma azul. Tras saludarme con ademán desenvuelto,
corrió por el agua hasta perder pie y se alejó braceando
enérgicamente.

El sol cabrilleaba sobre el agua plomiza y el resistero
hería los ojos. Buceé unos minutos mar adentro y me acosté
en las tablas de madera del pontón. La portuguesa nadaba
siempre en dirección a las islas. Media hora más tarde, vino
a sentarse a mi lado y me preguntó por Juan.

—¿Y su marido? ¿No se baña?

Dije que había ido a pescar con Isabelo y suspiró.

—Es un pueblo triste, sin diversiones. A las diez de la
noche no se ve un alma en la calle.

—¿Ha podido hablar usted con su familia?

María sacó un Bisonte de su bolso playero y prendió
fuego con un encendedor diminuto.

—Esta tarde voy a telefonearles. Si no vienen a buscarme inmediatamente, me marcharé por mi cuenta.

Dos pescadores bordeaban el canto del muelle y nos
observaban de refilón. María sacudió la ceniza del cigarrillo con rabia.

—Es un país atrasado, atrasado. Los hombres miran
a las muchachas como perros. En cuanto disponga libremente de mí no volveré acá en la vida.

Juan regresó muy tarde con el cuerpo cubierto de sal.
Isabelo le había regalado un pardete y explicó que el mar
estaba picado y las olas rociaban la cubierta. «A ver si
aclara de una puñetera vez, exclamó. Me muero de ganas
de ir a las encañizadas.»

A la hora de la siesta le referí mi conversación con
María. Juan dijo que Isabelo había hablado igualmente de
ella, pero no pudo sonsacarle nada nuevo acerca de su
paseo en bote. A media tarde, la muchacha tuvo un repique

con el señor Joaquín. La oímos gritar en el comedor y, en seguida, se encerró en su dormitorio dando un portazo y no apareció hasta la cena.

Aquella noche hubo un sinfín de idas y venidas por el pasillo. Juan dormía a sueño suelto a causa de los somníferos y, en la duermevela, me pareció que la portuguesa ponía la habitación patas arriba y se asomaba a la ventana y discutía a voces con un hombre. Por la mañana el señor Joaquín andaba pálido y trasojado y renunció a su habitual letanía respecto al tiempo. Mientras servía el café, dijo que María estaba enferma y la habían trasladado de madrugada a Cartagena, a la clínica de unos amigos.

—¿Qué le pasa? —dijo Juan—. ¿Es algo grave?

—Aún no lo sabemos con exactitud. —El señor Joaquín desviaba la mirada—. Posiblemente se trate de apendicitis.

En los días que siguieron, la brusca partida de María se convirtió en la comidilla de las conversaciones. Hubo quien sostuvo que había intentado suicidarse. Otros afirmaban saber de buena tinta que la enfermedad era mortal. Algunos —en fin— defendían la hipótesis de la fuga con un rico extranjero y coloreaban la noticia con toda clase de pormenores contradictorios y fantásticos.

Tan sólo el señor Joaquín fingía desdeñar estos rumores. A diario nos informaba de que María iba bien y aseguraba que dentro de breve plazo volveríamos a tenerla con nosotros. La vida del hotel se desenvolvía con entera normalidad. Una mañana, no obstante, el dueño recibió la visita relámpago de su hijo. Al levantarnos vimos la bicicleta apoyada en la pared y el gorro colgado del perchero. Los dos se encerraron a hablar en la cocina. A la hora de comer, bicicleta y gorro habían desaparecido y el señor Joaquín nos anunció que la enferma se hallaba casi restablecida y pronto le darían de alta.

—Pobre muchacha —dijo—. Sus padres se alegrarán cuando la vean.

Fue una semana de cielo variable, con mangas de viento racheado y nubes informes, oscuras y huidizas. Los últimos veraneantes de la huerta cerraron sus casas y me bañaba sola entre los pontones vacíos. El señor Joaquín oteaba vanamente el mar desde su sillón de mimbre. La meteorología continuaba burlando sus pronósticos y asumía el mal tiempo como una derrota íntima y personal, de la que se sentía plenamente responsable. De vez en cuando, olvidando sus anteriores declaraciones acerca del auge turístico, desempolvaba el recuerdo de un matrimonio alemán que había parado en su casa hacía seis años o de un caballero danés que prometió visitarle con su familia y le había enviado una felicitación de Navidad. La minuta del hotel era la misma de siempre y, pasado el primer sentimiento de rebelión, me acostumbraba a soportarla poco a poco.

La carpeta de Juan dormía otra vez encima de la mesa. Diariamente formulaba para mí el propósito de hablarle, pero, llegado el momento de hacerlo, me cobardeaban las palabras y aplazaba la decisión para el día siguiente. Juan salía a menudo con Isabelo y su cuñado y, una tarde, les acompañé a cobrar la pantasana. Era una forma de pescar desconocida para mí. A medida que se estrechaba el cerco de la red, el mújol intentaba huir brincando sobre la relinga y caía en el armazón de cañas previamente dispuesto en torno. Aquel lance sacaron más de dos cajas de pescado y, de regreso, Isabelo evocó las condiciones de vida en el Mar Menor. Las encañizadas, dijo, habían sido arrendadas por el Estado a un consorcio que empleaba a numerosos subalternos, vigilantes y guardias. Los pescadores tenían vedado el acceso a las aguas más ricas y, solamente un día al año, por privilegio particular, podían acercarse a las golas y repartir a medias con el consorcio el fruto de la pesca.

—¿Qué día?

—El veinte de este mes. Pero si quieren ir antes a la

manga, mañana libro temprano y voy con ustedes.

El cuñado quiso saber si habíamos probado el caldero. Juan dijo que no.

—Es un arroz al estilo pescador. Si les parece, llevaremos el pescado con nosotros y lo prepararemos allí.

Juan me consultó con la vista. Aunque desvió la mirada, repuso que estaba de acuerdo. «Confiemos en que haga buen día», suspiró.

Al desembarcar en el muelle, el señor Joaquín nos comunicó que habían telefoneado dos veces desde Barcelona preguntando por nosotros.

—¿Quién era? —dije. El corazón me latía con fuerza.

—No sé. Un hombre. No me dejó ningún mandado.

—¿Quería hablar conmigo?

—Con los dos. Con usté y, luego, con el señor. Probablemente llamará más tarde.

—Con tal que no haya ocurrido una desgracia —dije cuando subimos a la habitación.

—Si fuera algo grave ya lo sabríamos —repuso Juan—. Con ponerte nerviosa no arreglarás nada. Hala, siéntate y no le des más vueltas.

Era el único proceder razonable y, por espacio de una hora, recorrí centenar y pico de páginas de un libro sin enterarme de lo que leía. Mi atención resbalaba sobre las palabras. Durante la cena, el teléfono volvió a sonar. El señor Joaquín lo descolgó e hizo ademán de que viniéramos.

—Barcelona. Es para ustedes.

Me tendió un aparato antiguo, de tubo y manubrio, y el receptor transmitía la voz de Jaime.

—Marta, ¿eres tú?

—¿Cómo has sabido nuestra dirección?

—Muy sencillo. Gloria recibió una postal de ese pueblo y pregunté por el hotel... Asun y yo queremos ir a buscaros.

—Es absurdo. Nos vamos ya. Estamos a punto de

salir.

—Entonces nos encontramos por el camino. ¿Lo pasáis bien?

—Muy bien.

—¿No puedes hablar?

—No.

—¿Hay gente contigo?

—Nos veremos en Barcelona. Telefonearé a Asun al llegar.

Juan se había levantado de la mesa y preguntó: «¿Es Jaime?»

—Sí.

—¿Qué dices?

—No, respondía a Juan.

—Déjame hablar. —Me quitó el teléfono de la mano y dijo:— ¿Jaime? —La voz brotaba del receptor ridícula e impotente—. No, al contrario, me parece una magnífica idea. Comenzábamos a aburrirnos, los dos solos.

Explicó que, si hacían noche en Valencia, podrían llegar a comer al pueblo sin cansarse demasiado.

—La carretera es buena. Di a Asun que os esperamos... Aguarda, te paso a Marta otra vez.

Me entregó el teléfono con una sonrisa.

—¿Lo ves? Todo arreglado —dijo Jaime—. ¿Estás contenta?

—No.

—Oye, ¿qué te sucede?

—Nada. Tengo ganas de volver a Barcelona y trabajar. Estoy hasta la coronilla de viajes.

—Bueno, bueno, no te pongas así. Ya discutiremos luego.

—Adiós.

—Hasta pasado mañana.

El señor Joaquín no había perdido coma de la conversación. Mientras volvíamos a la mesa quiso saber cuántos amigos venían y explicó que podía matar un pollo y condimentarlo al modo murciano.

—Haga lo que a usted le parezca —dije.

Juan bebía plácidamente el Jumilla de la jarra y me miró con desaprobación.

—A Jaime le gusta mucho.

—Pues que le aproveche. Para comerlo no tiene ninguna necesidad de venir aquí.

—Yo creí que te aburrías, sola. Por eso les invité a los dos.

—No quiero ver a nadie —repuse.

El día siguiente íbamos a las encañizadas y mi mal humor se desvaneció. El mar ondeaba liso y azul y, por primera vez, en toda la extensión del firmamento no se avistaba una nube. Isabelo aguardaba en el muelle, afeitado y con una camisa nueva. Su cuñado había ido a Elche a ver jugar al Real Madrid y Juan me ayudó a saltar a bordo. Bajo la escotilla había un cenacho con botellas de vino, cubiertos y servilletas y un caldero espartado, de color negro. Isabelo abrió la proa de la barca y puso en marcha el motor. Las casas del pueblo se achicaron poco a poco. La embarcación no cabeceaba lo más mínimo y, conforme adelantábamos, las islas se dibujaban con mayor nitidez, y la torre del faro, y el perfil sinuoso de la manga.

Isabelo se había sentado a popa junto al timón y me acomodé sobre la lona que cubría las cañas de la pantasana y observé el aguaje de la quilla. El mar reverberaba a la luz del sol como un mantel de hule. El agua transparentaba el boliche que se dirigía a la costa buscando calor y, al romper con la mar llana, la proa de la barca producía un leve escarceo. «El buen tiempo, al fin», exclamó Juan.

Media hora más tarde acostábamos de nuevo e Isabelo corrió el timón a la banda. El playazo se perdía en la distancia, asolado y blanco. Una boya negra indicaba a los pescadores el límite de la concesión. Cuando el motor se inmovilizó en la cara del agua, reinaba calma chicha. Isabelo miraba hacia el pontón del consorcio y dijo que había visitantes en el chalet.

—¿Qué chalet?

—Aquel edificio que se asoma atrás. Es un pabellón de recreo de los administradores.

Avanzaba fincando para no embancar en los médanos y, al llegar a la orilla, caló el rezón y saltamos a tierra.

—Acá se pueden ustedes bañar con toda tranquilidad —dijo.

Parecía que la playa no tuviese fin. El sol brillaba encaramado en el cenit y no soplaba un amago de aire. Enfrente de nosotros, el Cabezo Gordo se diluía en el horizonte calino.

Nos quitamos la ropa. Los pescadores de la manga habían habilitado una especie de refugio para mallar y teñir redes. Junto al cabo de la boya divisé los residuos de varios fogones y la huella reciente de una embarcación. Isabelo nos enseñó los barriles del tinte. Al bajar de la barca, había cogido el cenacho y Juan se empeñó en abrir una botella de Jumilla. Isabelo bebió también, alegremente, y, a través de las dunas, nos encaminamos los tres a ver la paranza.

La primera boca interior de la encañizada tenía una anchura aproximada de treinta metros. En cada orilla había un murete de obra para canalizar la corriente y enfilamos por él bordeando el agua clara y dormida. Al otro lado, en un islote formado por las dos abras de la gola, se alzaba el pabellón de recreo del consorcio, un edificio de dos plantas de aspecto un tanto marchito, con un amplio balcón orientado hacia el mar de fuera. Había un yate amarrado al embarcadero y los visitantes bailaban en la terraza del chalet al son de una gramola. Al aproximarnos a la paranza reconocí los compases de *Negra consentida*. En el silencio y soledad de la manga, la música sonaba de modo extraño. Las parejas se mecían suavemente mejilla contra mejilla y dos niñas vestidas de punta en blanco daban vueltas también, exquisitas y frágiles, como figurillas de porcelana.

—Luego comen y se van a tumbar por ahí —dijo Isabelo—. Esos sí gozan de la vida.

La gramola difundió en seguida un fox de los años cuarenta y proseguimos por el canto superior del murete hasta la paranza. Una barrera de caña cortaba la gola en dos y, mediante un complicado sistema de redes, los peces que venían del Mar Menor atraídos por la fresca de la corriente se embocaban en una serie de corrales de donde no podían salir. Al poco de llegar nosotros, un hombre con un bote de fondo plano se dirigió al primer cañal. Tras correr la boca de entrada, saltó al interior y, con ayuda de un salabre, empezó a copejear el pescado en un cubo.

La ribera exterior de la manga era asimismo magnífica. La playa se alargaba kilómetros y kilómetros. A la derecha del faro, un pailebote se enmaraba por la línea del horizonte. El suelo estaba cubierto de algas y juncos. Las tueras reptaban entre las dunas y encontré, intacta, la muda de una culebra. Delante de nosotros, Isabelo buscaba leña para quemar.

De vuelta al refugio, Juan cogió la botella de Jumilla y la medió de un trago. Isabelo improvisaba un fogón con cuatro piedras y armó un pabellón para el caldero. En el cenacho había un plato con mújol y langostinos y un mortero especial para la salsa. Mientras yo majaba los dientes de ajo y las ñoras, Isabelo abrió la navaja y cortó a trozos una soga de esparto. Después vació el pescado y la salsa en el agua del caldero y prendió fuego a la soga con el encendedor.

Juan y yo nos sentamos a mirarle en unos parales. El sudor le chorreaba por la frente y se quitó la camisa, dejando al descubierto un pecho velludo y negro. Juan le alargaba de tarde en tarde el vino y, al terminarse la botella, abrió otra y me la ofreció a mí. «Anda, bebe, dijo. Tenemos que emborracharnos.»

Le obedecí e Isabelo aceptó a su vez con una sonrisa y bebió igualmente. Al cabo de un tiempo retiró el caldero de la lumbre, escurrió el jugo y volcó el pescado en un lebrillo. En seguida echó el contenido de un paquete de arroz en la salsa y, valiéndose de la espuerta para no quemarse las manos, volvió a colgar el caldero del trípode.

Cuando nos disponíamos a comer eran más de las tres. El cuartel de la escotilla hacía las veces de mesa e Isabelo sirvió el pescado y el arroz a banda. Juan dijo que no recordaba plato igual en su vida. A mí también me parecía excelente e Isabelo rió de nuestro entusiasmo. El caldero dejaba resquemor en la lengua y el vino desaparecía con rapidez. Antes de los postres, Juan descorchó la última botella y bebió largo rato a caño, hasta que el vino le resbaló por la barbilla y le puso perdido el bañador. Inesperadamente, se detuvo y tendió el Jumilla a Isabelo.

—Ahora que nadie te oye, explícanos tu historia con María —dijo con voz ronca.

Isabelo arqueó sus cejas espesas y sonrió de modo forzado.

—Poco hay que contar. Me alquilaba el bote igual que ustedes y un día vinimos a la manga y reñimos.

—Tu cuñado dijo que se timaba contigo y te iba a buscar al bar por las noches —insistió Juan.

—La muchacha está acostumbrada a la vida de la ciudad, a alternar y salir con la gente y, aquí, se aburría. Por eso un día iba detrás de uno, y otro de otro, y otro de un tercero, sin darse cuenta de que estas cosas no sientan bien en un pueblecito.

—¿Y tú? ¿Qué hiciste con ella?

—Nada. —Isabelo esquivó la vista y contemplaba fijamente el suelo—. Lo que hacen hombre y mujer cuando están a solas.

Un soplo de viento estremeció la superficie estancada del mar. Los invitados del pabellón de recreo se habían reunido en el pontón y comenzaban a embarcarse en el yate. Juan me observaba con los ojos enrojecidos por el alcohol. De improviso, se incorporó sin soltar el vino y, encarándose con Isabelo, dijo que iba a pasear por la manga.

—Te confío mi mujer —añadió sonriendo.

Le seguí con la mirada mientras caminaba a tropezones y empinaba el codo para beber de la botella. Tenía ganas de correr detrás de él y abofetearle. Isabelo, a mi lado, parecía tan confundido como yo.

—Perdóneme —dije—. Ha bebido más de la cuenta.

—Debió de ocurrírseme antes. El vino resolano es muy traidor. ¿Quiere que vaya a vigilarle?

—No es necesario, gracias. Cuando se le pase volverá.

—Lo digo para que no le dé el sol en la cabeza. A bordo tengo un sombrero de paja.

—No se preocupe, está habituado. —Las mejillas me ardían y me levanté—. No es la primera vez que esto sucede.

El agua de la ribera estaba en lecho y nadé unos minutos sin alejarme de la costa. Las gaviotas volaban sobre las hierbas del alfaque. El yate del consorcio había desamarrado y se hacía a la vela en dirección de San Javier. Al volver a tierra, Isabelo fregaba los platos y el interior del caldero con arena y un estropajo y, cuando todo estuvo limpio, remangó las perneras del pantalón hasta las rodillas y se chapuzó en el agua. Me envolví en el albornoz y contemplé el paisaje vacío, el agua quieta, los juncos inmóviles. La luz vesperal impregnaba el aire de una fosforescencia indecisa. Isabelo continuaba braceando mar adentro. Yo sabía que Juan lloraba en algún escondrijo de la manga y me sentía atrapada como entre las mallas de una red.

Juan se presentó una hora más tarde, calmado y sereno

—con la misma sonrisa vaga del día en que me pidió las cartas. Explicó que había caminado varios kilómetros por las dunas y encontró un puesto de la guardia civil y se detuvo a pegar la hebra.

—El cabo es un gallego sensacional —dijo—. Estuvo en el frente en Esmolensko y aún sueña en cargarse rusos. ¿Y vosotros? ¿Qué tal lo pasasteis?

—Muy bien —repuse.

Oscurecía y regresamos a la embarcación. Los nublos se condensaban de nuevo hacia el norte y apopamos siguiendo el filo del viento. De largo a largo del recorrido ninguno de los tres dijo palabra. Isabelo vigilaba el timón tendido en la lona de las redes. Yo fumaba sobre los cuarteles de la escotilla. Juan se había sentado a proa y observaba abstraído el horizonte.

En el hotel, el señor Joaquín nos esperaba como agua de mayo. Había recibido un telegrama de los padres de María anunciando su visita para el día siguiente y desbordaba de optimismo y actividad.

—La cosa está que arde, sí señor. Como se les antoje a sus amigos traer más gente tendré que ir a dormir a la calle. Si se lo digo, en este pueblo nos sobra personal.

Por la noche, Juan se obstinaba todavía en guardar silencio y le oí dar vueltas y vueltas en la cama. Al fin tanteó la perilla de la luz y se dirigió al armario en busca de los somníferos.

—Querido —dije.

Se volvió a mirarme y la expresión huérfana y desamparada de su rostro me hizo llorar.

—¿Por qué nos dejaste en la manga? ¿Creías que me iba a acostar con él?

—No sé. —Movió los labios como para agregar algo, pero no dijo nada.

—No quiero a Isabelo ni a ningún otro, ¿te enteras? Sólo te quiero a ti.

—Sí.

—Te torturas inútilmente, ¿comprendes? Te amargas la vida y me la amargas a mí.

Se sentó en un pico de la cama y atraje su cara junto a la mía, hasta que mis lágrimas resbalaron por su piel.

—No puedes continuar así, querido... Necesitas trabajar, ponerte en contacto con las cosas. Aquí te descompones poco a poco...

Juan decía que sí, como un niño, y, cuando apagué la luz, se tendió a mi lado y dormimos abrazados por espacio de medio día.

Jaime y Asun llegaron a la una de la tarde, riendo y alborotando. Habían irrumpido en la habitación, escoltados por el señor Joaquín, y Asun me besó en las dos mejillas, al tiempo que Jaime se inclinaba sobre Juan y le palmeaba cariñosamente en la espalda.

—¿Qué hay, granuja? ¿No te da vergüenza levantarte a estas horas?

Luego me besó también y explicó que en Barcelona todo el mundo se mostraba indignado con nosotros y juzgaba con severidad nuestra conducta.

—Apuesto algo a que ni siquiera sabéis los sitios frecuentables. Si buscaseis de noche a alguno de la banda, ¿adónde iríais?

—A Panams —dije.

—¿Lo veis? —exclamó triunfante—. Estáis pasados de moda, como las boleras al aire libre y los cigarrillos con filtro. Ahora fumamos tabaco filipino y nos reunimos en Jamboree.

Juan se había incorporado, desnudo de cintura para arriba, y miraba a Jaime amusgando la vista como si, habiendo olvidado su imagen de antes, tratase, en unos segundos, de grabarla de nuevo.

—Marta empezaba a aburrirse —dijo—. Por eso os pedí que vinierais.

—No es verdad —protesté—. Malditas las ganas que tenía de ver a nadie... Estaba haciendo una cura de sole-

96

dad, y vosotros me obligáis a romper la dieta.

—Esto es peor que África —dijo Asun—. El pueblo parece completamente abandonado. ¿Ha habido un terremoto o algo por el estilo?

—Siempre está así —dije.

—Si acabaréis los dos en un convento, os lo juro... —Asun se había arrimado a Juan y le amenazaba con el índice extendido—. No podéis formaros idea de la animación que había en Tossa. Este verano han inaugurado más de diez bares. Todas las noches nos acostábamos a las cuatro.

—Ah, ¿sí? —dijo Juan—. Y ¿puede saberse qué hacíais?

—Bailar la pachanga y beber daiquiris... Los sábados y domingos hay un ambiente fantástico. La playa se llena de gente de Barcelona y los obreros andaluces se dedican a seducir extranjeras.

Mientras iban a dejar las maletas en su cuarto, me lavé la cara y me vestí. Juan se había enjabonado para afeitarse y parecía de excelente humor. Antes de salir me acerqué a él y apoyé la cabeza sobre su hombro.

—Estoy enamorada de ti, ¿me oyes?... Prométeme que no beberás ni harás tonterías.

Asun pasó a recogerme momentos después. En el vestíbulo, el señor Joaquín conversaba animadamente con Jaime e insistió en que aparcara el automóvil junto al hotel.

—Aquí estará en mayor seguridad, créame. Póngalo detrás del de sus amigos y todavía quedará espacio para el de esos señores portugueses de quienes le he hablado.

Jaime no tuvo otro partido que obedecer y realizó la maniobra bajo la mirada complacida del dueño. Luego subió a hablar con Juan, en tanto que Asun y yo vagabundeábamos por el muelle. A la hora de comer nos reunimos los cuatro frente al pontón. En la calle había un Austin con matrícula de Porto y, convertido en maestro de

97

ceremonias, el señor Joaquín nos presentó a los padres de María. Dijo que la muchacha se había restablecido del todo y, por la tarde, irían a buscarla a la clínica. Al fin conseguimos sentarnos en el comedor y una chiquilla vestida con un delantal blanco nos sirvió los entremeses y el pollo condimentado a la murciana.

—¿Qué proyectos tenéis para la noche? —preguntó Asun al terminar.

—Ninguno —dijo Juan—. Si el pueblo os aburre podemos correrla en Cartagena.

Así lo decidimos —pese a que el señor Joaquín aseguraba que el personal de allá no era noble como el del pueblo y simpatizaba poco con los visitantes.

—El cartagenero es muy largo de uñas, sí señor. Vayan ustedes con cuidado, no sea que les distraigan la cartera.

Habíamos tomado el café en el bar de los pescadores y, al oscurecer, nos dispusimos para la marcha. Asun quería que fuéramos los cuatro en un coche, pero Juan protestó y dijo que prefería ir a solas con ella.

—Marta y yo nos conocemos demasiado. A veces conviene cambiar, ¿no os parece?

Los dos se metieron en el Seat riendo y Jaime abrió la puertecilla del cuatro cuatro y arrancamos inmediatamente detrás.

—¿Puedes explicarme qué te pasa? —dijo cuando salimos del pueblo.

Se había vuelto a mirarme, con la mano apoyada en el cambio de marchas, y no me moví.

—Nada —repuse—. No tenía ganas de que vinieras. Estoy cansada, Jaime.

—Cansada, ¿de qué?

—De todo. De la vida en común, de Barcelona, de los amigos...

Las balizas rojas y blancas del antiguo campo de aviación emergían entre los hierbajos. Más lejos, el paisaje aparecía emborronado por una espesa nube de polvo.

—He reflexionado mucho últimamente y ahora veo las cosas con claridad. Esta primavera nos engañábamos los dos... Estoy enamorada de Juan.

—Siempre has estado enamorada de Juan.

—Lo sé, pero entonces no me daba cuenta. Ignoraba que me quisiese tanto. Cuando le conté lo nuestro...

—¿Qué?

—Por favor, ten el volante.

—¿Qué dices?

—No olvides el coche, te digo. Vamos a estrellarnos.

—¿Has sido capaz de...?

—Yo no le daba tanta importancia y se lo dije casi en broma.

Jaime conducía con el rostro crispado y, de repente, aceleró.

—¿Puede saberse con qué derecho le contaste un secreto que no era tuyo?

—Me conoces de sobra, Jaime. Nunca he querido ser desleal.

—Pues eres desleal. El secreto me pertenecía tanto como a ti. ¿Qué cara voy a poner cuando le vea?

—No grites así, te lo ruego.

—Si me da la gana de gritar, grito. ¿Me oyes?

—No soy sorda.

Nos acercábamos a Algar y contemplé las velas triangulares de los molinos. Jaime se había derrumbado sobre el volante. Un ciclista cruzó la carretera sin avisar, pero sus reflejos eran firmes y lo esquivó con un movimento rápido.

—¿Qué cara voy a poner, di?

—Ninguna. Es un asunto entre él y yo. Nadie te pide cuentas.

—Calla, por Dios. A lo menos, calla.

Cerca de La Unión, el tramo de carretera se ensanchaba. Atravesamos el pueblo velozmente y, a la salida, avistamos el Seat. El crepúsculo iluminaba los depósitos de zafra y las chimeneas arruinadas de las fundiciones. A la derecha se columbraban las luces de una factoría. Un jip con matrícula americana torció por el camino de Escombreras y, después del paso a nivel, Juan se detuvo y, a través de la ventanilla, nos gritó que le siguiéramos.

Contorneamos la ciudad al pie de la muralla y la atmósfera del puerto me sedujo. Los de la Armada circulaban en grupos con traje de paseo y había asimismo numerosos soldados de tierra e infantería de Marina. Juan aparcó en la plaza del Ayuntamiento. Durante unos minutos enfilamos por una calle llena de gente. Al otro extremo, la guardia de Capitanía arriaba bandera y el tráfico cesó, mientras los militares se cuadraban. Cuando la ceremonia terminó, preguntamos la dirección de El Molinete y subimos por una calleja pina hacia el barrio alto.

Arriba, había una plaza mal alumbrada y parecía que todos los quintos estuviesen citados allí. Algunas mujeres aguardaban con el bolso bajo el brazo. Los hombres formaban corro alrededor de ellas y nos observaron con curiosidad. En los bares, los altavoces transmitían a voz en grito. Tras mucho vacilar, nos decidimos por uno y Juan encargó cuatro cuba-libres.

—Tengo vergüenza —murmuró Asun, señalando a las camareras—. ¿Qué deben de pensar de nosotras?

—Compórtate como si fueras del oficio. Mira a Marta. Ninguno diría que está casada. —Juan se volvió hacia Jaime y preguntó:— ¿No te parece?

Jaime esbozó una sonrisa de disculpa. Asun se había aproximado a él y se le colgó del brazo.

—Me gustaría bailar —dije.

—Antes de la plaza he visto un baile de marinos.

—¿Dónde?

—No recuerdo. —Asun cogió el vaso con el cuba-libre y se lo llevó a los labios—. Voy a beber para entonarme.

—Yo estoy a tono ya —dije—. Es mi primera juerga desde hace meses.

—¿Qué hacíais en el pueblo por la noche?

—Nada, dormir. Hay que recuperar el tiempo perdido.

Jaime permanecía en silencio. Juan le observaba con curiosidad y, luego, me miró unos segundos.

—Te encuentro un poco mustio —dijo.

—Es el calor. En cuanto beba un poco se me pasará.

—Pues bebe. Hoy es una gran fecha.

—Sí —dijo Asun—. Por fin estamos reunidos.

Las mujeres del bar charlaban con los clientes. De vez en vez, algunos soldados se asomaban a echar una ojeada y regresaban en seguida a la calle.

—Tengo sed —dije—. Me beberé otro cuba-libre.

—Espera a que vayamos al sitio de los marinos —dijo Asun.

—Déjala que beba, si quiere. —Juan llamó a la camarera y examinó el contenido del vaso de Jaime—. Hala, anímate.

—Ya me animo.

—Por favor, pónganos usted cuatro más.

—Quiero bailar —dije—. En mi vida he tenido tantas ganas de bailar como hoy.

La camarera cambió el disco del picú y me vació una copa de Larios en el vaso y media botella de coca-cola.

—¿Desea limón?

—Una rodaja, gracias.

Un tipo con facciones de mono se había abocado con Juan y le alargó un rectángulo de papel. El hombrecillo traía los faldones de la camisa fuera. Cuando bajé la vista descubrí que andaba descalzo.

—¿Qué quiere? —dijo Asun.

—CAN YOU GIVE ANY I AM DEAF AND DUMB —leyó Juan.

—Es mudo —explicó la camarera—. Les ha tomado a ustedes por americanos. —Se encaró con el hombrecillo y comenzó a mover ágilmente los dedos—. ¡Que son españoles, so cabrón! ¿O acaso te has vuelto también ciego?

¡Di! ¡Mariconazo!

El hombrecillo nos miraba sin comprender. Juan le dio un billete de cinco duros y se eclipsó inmediatamente.

—El pobrecico se gana los garbanzos asín —dijo la camarera—. Una peseta aquí, dos reales allá... No crean que es malo, no. Lleva una vida muy aperreada.

—Tendrías que haberte quedado con el papel —dijo Asun.

—¿De verdad lo quiere usté? —La camarera había encendido un pitillo y ocultó el paquete en el escote—. ¡Ginés! —gritó—. Ve y agarra en seguida al Tirao.

—Oh, no se moleste usted, por favor. Lo decía por decir.

—No es ninguna molestia, señorita Tiene un montón en varios idiomas. Como aquí viene personal de todos lados...

Un hombre alto, de pelo negro y facciones gitanas, vestido con la camisa y cordón de los Terciarios, dejó de discutir con las mujeres y se precipitó hacia la calle.

—Eres ridícula —dijo Jaime a media voz—. ¿Quieres explicarme por qué coño has pedido la tarjeta?

Juan le miró sorprendido. Jaime parecía sinceramente furioso.

—Está visto que no se puede salir contigo sin que, por una razón u otra, metas la pata.

—Hijo, ¿qué mosca te ha picado? —Asun se volvió, tomándome por testigo—. ¿Qué le he hecho? Di, ¿qué le he hecho? Jesús, qué repentes.

—Si Asun quiere el papel —dije—, ¿a ti qué se te importa?

—Me cabrea que siempre haga su número de señorita —dijo Jaime—. Me cabrea y me repugna.

—Cuando un tipo reparte tarjetas es para que se las quede el público —protestó Asun—. Ahora que comenzaba a encontrarme a gusto, vas y la armas. Ni que te hubieras levantado con el pie izquierdo, hijo mío.

El hombre regresó con el mudo. Lo traía sujeto, dándole empellones, y lo arrastró junto a nosotros, con brutalidad.

—¿Dónde te habías najado, sinvergüenza? —La camarera se inclinaba sobre la barra del bar y amagó con el brazo al hombrecillo—. ¿Te parece bonito largarte por las buenas sin agradecer a estos señores? ¡Vamos, dales la tarjeta! ¡Que con las orejas que gastas puedes aplaudir por el cogote, gran mamón!

El mudo inició una serie de ademanes veloces. La mano oscura del alto continuaba aferrándole por el cuello.

—Es un pedacico de pan —dijo la mujer—. Cuando estamos solas, mis compañeras y yo le mandamos llamar y le pedimos que nos cuente cómo vino al mundo. O que baile el chá-chá-chá. O que haga el sarasa. Y, bueno, es que te dislocas de reír... ¡Eh, tú! —gritó plantándose frente a él—. ¿Qué oficio tenía tu madre, Tirao?

El mudo parecía haber calado al fin sus intenciones y estiraba su boca interminable mostrando las encías. Sus dedos agitaron un imaginario fajo de billetes. Luego emitió un sonido ronco y empezó a contonearse.

—Está explicándoles que era puta... —La camarera se atragantaba—. Si se lo digo... ¿Y tus hermanos? Cuenta. ¿Dónde están tus hermanos?

Los clientes del bar formaban anillo en redor de nosotros y repitió la pregunta haciendo muecas. El alto asió al mudo por los faldones de la camisa.

—Tus hermanos, di, ¿dónde los guardan?

El Tirao lanzó nuevos gemidos. Movió los dedos, sacó la lengua y puso los ojos en blanco.

—Muertos, sí —dijo el alto—. Pero, ¿en qué sitio? ¿En el cementerio?

—Los conservan en el clínico en un tarro de alcohol. —La camarera se aguantaba las costillas con las manos—. ¡Uy, que me meo de risa! ¡Qué hombre, Dios mío de mi vida! Ni que lo hubiera padreado el Frankestein... Lo sacan retratado y se rompe la máquina.

Por la puerta asomaron dos de la Policía Militar, con brazalete, porra y casco americano. Juan señaló los vasos vacíos y ofreció una ronda de cuba-libre a las mujeres. El picú transmitía una canción de Los Platters.

—Dale también uno al mudo.

—Éste sólo toma gaseosa. —La mujer sacó una de la fresquera y la destapó—. Hale, bebe. El señor invita.

El Tirao le agradeció con un gemido. Agarró la botella, empinó el codo y la vació de un tirón.

—¿Y usted? ¿Quiere algo?

—Ponme una copa de cazalla, Merche —dijo el alto.

Jaime no había desarrugado el ceño. Le oí repuntarse en voz baja con Asun y dije a Juan que quería ir a bailar. Cuando pagó, salimos a la calle y nos abrimos camino entre los soldados que acechaban el ir y venir de las mujeres. El mudo y el alto se habían unido a nosotros.

—Forasteros, ¿eh?

—Sí.

—¿De Madrí?

—No, de Barcelona.

El del cordón había cogido a Juan por el brazo y decía que Barcelona era lo mejor del mundo.

—Es una ciudá con clase, ¿me explico o no me explico? Usté baja por las Ramblas y el mujerío que hay no lo ve usté en ningún lao. Yo anduve una vez de turista con unos señores, así en el plan de ustés ahora, y lo pasamos en grande. De Cartagena muchos van a Barcelona a trabajá, pero pá trabajá, me digo yo, estoy bien aquí. Allá ha de ir uno a lo señó, con la cartera bien forrá, a patearse los cuartos y disfrutá de la vía.

El altavoz de un bar transmitía una canción de Marchena. Varios soldados la acompañaban palmeando y, al cruzar la plaza, Asun me susurró junto al oído.

—¿Has visto?

—¿Qué?

—Jaime está más insoportable que nunca. No sé qué tiene contra mí.

—No le hagas caso. Ya se calmará.

—Fue él quien se empeñó en venir a buscaros y ahora me echa la culpa.

El baile era un local destartalado, con mostrador larguísimo y un escenario cerrado por una cortina mugrienta. Un tocadiscos americano moderno difundía los compases de *El gato montés*. Soldados y marinos bailaban el pasodoble abrazados a las mujeres y, al parar la música, desembarazaron el centro de la sala y se agavillaron a lo largo del bar y en torno a la máquina tragaperras.

La camarera de la barra sirvió cuatro cuba-libres, una cazalla y una botella de gaseosa. Jaime apuró un vaso de un latigazo y miraba a Asun con malos ojos. Le dije que si quería bailar conmigo y repuso que no.

—¿Y tú?

—Tampoco —contestó Juan.

—Qué sosos —dijo Asun—. Bailemos juntas.

El tocadiscos atacó los primeros acordes de *España cañí* y entramos en la pista, en medio de los marinos y soldados. La música del pasodoble se ajustaba perfectamente al ambiente del local. Asun se dejaba guiar con docilidad y vi que el mudo bailaba con una camarera. El alto no se despegaba de Juan. Al pasar a su lado oí que decía: «Usté me dice de ir a Barcelona y me marcho con usté ahora mismo.» Asun apoyaba su mejilla contra la mía e hizo un gesto apuntando hacia Jaime.

—Nos aguará la fiesta. Ya verás.

—¿Tú crees?

—No sé. No me gusta su expresión. ¿Te ha dicho algo mientras veníais?

—No.

—Desde hace un tiempo se pica por nada. Si pudieses hablar con él... Yo lo he probado mil veces y te aseguro que es inútil.

—Lo intentaré —dije.

Volvimos a la barra. El alto había sacado un lápiz del bolsillo y escribía una dirección en un papel. Jaime consumía un nuevo cuba-libre. La música sonó al poco rato y un soldado bajito se acercó a Juan.

—¿Permite, caballero?

Juan sonrió y le seguí al centro de la sala. Otra vez era *El gato montés* y deseé que el disco no terminase. El muchacho bailaba bien. Me ceñía fuertemente por la cintura y, a intervalos, su mano viajaba, tanteando el terreno. Asun bailaba también con un marino. Cuando se interrumpió la música, vino hacia mí.

—He dado un puñado de rubias al mudo para que ponga más discos —dijo—. ¿Qué prefieres?

—Pasodobles —supliqué—. Únicamente pasodobles.

Fuimos a elegirlos, abriéndonos paso entre los mirones y, por una razón desconocida, Jaime y Asun tuvieron unas palabras. Comenzaron a discutir agriamente y Juan terció y arrastró a Jaime a la calle.

—¿No te lo decía? —Asun hablaba acalorada—. La tiene tomada conmigo.

—¿Qué sucede?

—Nada. Yo no le miraba siquiera y se ha puesto a insultarme hecho una furia. Jesús, qué carácter.

Le vendí unas frases de consuelo y, como el soldado me invitaba, volví a bailar *El gato montés*. Asun emparejó con el marino. El horror y ferocidad de la música cobraban relieve con la repetición. Una camarera gorda daba pases con el delantal y el mudo embestía como un toro. Mi compañero esta vez no perdía el tiempo. Su mano paseaba sin cuidado por mi espalda y aproximó su cara a la mía.

—Sus amigos, ¿se han ido?

—No —repuse.

—¿Está usté citada con ellos?

—Sí.

—¿Y mañana?

—También.

—Me gusta usté. Quiero verla a solas.

—Me voy. No vivo aquí.

—No es verdad. Dígame qué día estará libre.

Inventé uno para sacármelo de encima y, al cabo de unos minutos, Juan regresó y pagó la cuenta. Asun había salido a buscar a Jaime. Los cuatro traspusimos la ciudad en silencio. El del cordón nos seguía, igualmente borracho, y se abrazaba a Juan.

—Juanillo, ¿me escribirás?

—Sí.

—Tú tiés mis señas. En la carta pones las tuyas y te contestaré.

—Sí.

—Asín estamos en contacto y, a la que te asomas por acá, me avisas con unas letras y viajamos juntos.

—Sí, sí.

Asun se sentó al volante del cuatro cuatro y abrió la puertecilla a Jaime. Nosotros entramos en el Seat y, antes de poner el motor en marcha, Juan dijo que iría despacio, a fin de que no nos perdiesen de vista.

Durante el trayecto de retorno no cambiamos palabra. El paisaje parecía inhabitado. Los civiles nos pararon cerca del pueblo, pero, cuando Juan sacó su carnet de alférez, se cuadraron y pidieron excusas. Aquella noche dormimos los dos de un tirón.

El día siguiente nos levantamos muy tarde. Bajé al comedor a vuelta de la una y el señor Joaquín anunció, compungido, que María y sus padres partieron al amanecer y no habían podido despedirse de nosotros.

—¿Y nuestros amigos? —dije.

—Todavía están en la cama.

Salí al muelle. El mar se tendía gris y quieto y la luz bailaba sobre el agua con reflejo plomizo. Sentado en el pontón del hotel, un marinero soñaba melancólicamente con la vista perdida en lontananza. La bicicleta ocupaba el sitio habitual en la pared y me acordé del misterioso idilio de María.

Juan apareció poco después, lavado y afeitado. Me cogió del brazo y caminamos enlazados hasta las afueras del pueblo. Algo había mudado en su aspecto y parecía contento de existir.

Al llegar a la zona militar, se detuvo y me alargó el fajo con las cartas de amor de Jaime.

—Guárdalas —dijo—. Ya no tiene ninguna importancia.

Desde mi primer destino en el extranjero no había vuelto jamás. A través de la ventanilla del taxi contemplé el edificio amarillo y ocre, el verde familiar de los eucaliptos, la gigantesca copa del pino aparasolada como una seta. La casa había sido construida a fines de siglo aprovechando los cimientos de una antigua masía y, vista de lejos, su aspecto era un tanto conventual. Un bosque de alcornoques la ceñía estrechamente cuesta arriba y, por delante, las ventanas que caían a la era dominaban una perspectiva de bancales que escalonaban la pendiente hasta el cauce hondo e irregular de la vaguada. A cada revuelta el chofer sonaba la bocina y, durante unos segundos, la vislumbró aún, ligeramente ladeada, tras un lienzo de pencas de chumbera. Luego desapareció del todo y, al pasar la curva, el automóvil torció por el camino terrero y, con una intensidad que me sorprendió a mí mismo, me acordé de los paseos vagabundos, las noches en blanco, las maravillosas excursiones en tartana.

Mi amistad con Miguel venía de los años de colegio. Su madre era una mujer enérgica y generosa, que me quería como a uno de sus hijos. Cuando murió mi padre, me invitó a veranear con ellos en el Mas y, a partir de entonces, me integré completamente en su familia. Doña Luz me arregló una habitación enfrente de la de Armando y, poco a poco, la casa —con sus estanques, corralizas y pasillos— se convirtió en el telón de fondo de los sueños que habitaban mi mitología personal. Miguel y yo nos habíamos hecho carne y uña y, hasta que acabé la carrera, pasé con él los ratos mejores de mi vida. En el Mas nos reuníamos a beber, charlar, discutir itinerarios de viaje, proyectos, libros. Durante los meses de verano nos bañábamos en el estanque y tomábamos el sol acostados sobre la hierba. Al apretar el frío, Miguel convocaba a sus amigos junto a la chimenea del comedor. Allí, le refería semanalmente mis aventuras femeninas y oí pronunciar por primera vez el nombre de Mara. El Mas era un lugar ideal para conversar y nos sentíamos en él como en nuestra querencia.

Al filo de los veinticinco años todo mudó bruscamente. Recién terminada la licenciatura, ocupé un lectorado vacante y enseñé un curso de literatura española en Oslo, otro en Heidelberg y dos en París. La madre de Miguel falleció a los pocos meses de mi partida y supe que él apechaba con la administración de sus asuntos. Más tarde, recibí una participación de boda. «Ha llegado la hora de entrar en caja», decía. Yo le escribía regularmente, pero desde el matrimonio, sus cartas comenzaron a espaciarse. Miguel hablaba con ironía de las delicias de la vida conyugal y me anunció el nacimiento de un hijo. Aquel año los periódicos ventilaron a menudo su nombre a raíz del libro premiado. Miguel me lo envió con una dedicatoria y no volvió a resollar. Las últimas postales que mandé quedaron sin respuesta. Yo iba de veraneo con Régine a una cabaña de Les Graus du Roi y no me acordaba de él. Al finalizar el curso, el padre de Régine enfermó y, de común acuerdo, decidimos tirar cada uno por nuestro lado durante las primeras semanas de vacaciones. La noche en que la acompañé al tren me sentí terriblemente solo. Lo sucedido a Armando me obligaba a pensar de rechazo en el Mas y Miguel. Al cruzar frente a Correos le envié un telegrama notificándole mi visita. Mara me contestó al día siguiente con otro telegrama : NUESTRA ÚNICA PENA ES NO HABERLO VISTO CON SUFICIENTE FRECUENCIA EN SUS PRIMEROS TREINTA AÑOS STOP RESOLVIMOS REPARAR ESTA OMISIÓN EN LOS SIGUIENTES.

El automóvil avanzaba con lentitud, sorteando relejes y albardillas y, después del pajar y los establos, bordeó la fachada posterior de la casa y se detuvo en el jardín. La terraza estaba desierta, pero sobre la arenilla recién barrida había gran número de meridianas, cojines, sillas de tijera y hasta una diminuta piscina de goma para el baño del niño. El taxista me ayudó a sacar el equipaje y de di cinco billetes de cien. Como amagaba buscar la vuelta, dije que podía guardarla.

Al salir de Barcelona, el cielo se había encapotado; luego, volvió a desnublarse otra vez y, ahora, el sol lucía de nuevo entre las ramas de los eucaliptos. Las ranas croaban en el estanque y me asomé a admirar la vista del cenador. Era un paisaje que conocía bien y, lleno de alegría, comprobé que no se había despintado de mi memoria. Las colinas descabezaban suavemente en dirección a la costa, cubiertas de algarrobos y viñas. El verde de los pinos se barajaba con el amarillo de los trigales y, más lejos, cielo y mar se confundían en una imprecisa franja azul. La rambla corría por en medio con su cortejo de cañas y álamos. En el valle había el silencio de siempre —interrumpido sólo por el toque del *Angelus* y el eco monótono de los hachazos de un leñador.

Exteriormente a lo menos, la casa tampoco había sufrido transformaciones. Las siemprevivas medraban entre las cobijas del tejado y las golondrinas anidaban bajo el alero. La veleta del pararrayos señalaba el sudeste y me acordé de mis ejercicios de puntería con Miguel, cuando su madre le regaló una escopeta de balines y soñábamos en organizar safaris en África. Al acercarme al puentecillo que unía la galería y el jardín, me detuve a aspirar el olor a orujo que subía del trullo. Muchas veces, Miguel, Armando y yo pisamos la uva con los lagareros y habíamos bebido el vino de su porrón hasta achisparnos. Las comportas estaban apiladas en el andén exterior de la casa y los escobajos de los racimos fermentaban al sol. Cuando me di cuenta, una mujer venía por el camino con un serijo de frutas. Al verme, extendió una mano sobre las cejas para defenderse de la luz.

—Damiana —dije.

Ella balbuceaba, confundida, y, al fin, dejó el cestillo sobre la balaustrada y me abrazó.

—Señorito...

—Cuánto tiempo, Damiana... ¿Recuerda usted?

Su rostro se conservaba fresco y joven. Gastaba el pelo bastante corto, peinado hacia atrás, y llevaba una blusa de colores, algo ceñida. Siempre le había gustado traerse bien.

—Cómo no voy a acordarme —decía—. ¡Uy, Jesús!

La mujer de José me observaba con los ojos húmedos y, de improviso, mudó de semblante y rompió a llorar.

—¿Sabe usted la desgracia? —Sin darme tiempo de responder, me explicó lo sucedido con Armando—. Vinieron a media noche, señorito. Estábamos todos en la cama y armaron una escandalera que no puede usted imaginar...

—Ya lo sé, Damiana, ya lo sé.

—Desde entonces tengo algo en el corazón que no me deja dormir. Por la noche no hago más que dar vueltas y vueltas... José no sabe qué inventar para calmarme.

—¿Qué tal va José?

—Oh, él sigue bien. Ahora mismo acaba de llegar con el carro de coger hierba para las vacas.

—¿Y Antonio?... Debe de ser casi un hombre...

—¡Uy, cuando lo vea usted! —Damiana se enjugaba las lágrimas e intentó sonreír sin éxito—. No lo conocerá. Éste saldrá como su padre. Hace dos años que va a la escuela con Mossén Pere y ya sabe leer y escribir...

El viento cimbraba levemente la punta de los cipreses. Las abejas zumbaban emboscadas en los eucaliptos. En el caballete del tejado había un mirlo de buen tamaño y se plantó en los alcornoques de una volada.

—La señorita Mara ha ido a bañarse a la playa con

112

el niño y el señorito Jorge... Supongo que estarán por llegar. Cuando he oído el coche me figuraba que eran ellos.

—¿Y Miguel? —dije.

—Por las mañanas se suele quedar aquí. No creo que ande lejos. ¿Ha buscado usted si estaba en su habitación, por casualidad?

—No; aún no.

—Pues mire usted. Ya le llevaré yo el equipaje, señorito.

—Gracias, Damiana.

Al entrar en la galería, el corazón me latía con fuerza. Un picú había reemplazado el viejo receptor Telefunken y las fundas llamativas de los discos cubrían el sofá y los sillones. Eran canciones de Marlene Dietrich y Ella Fitzgerald, charlestones de Whitemann, calipsos y javas. Sobre la mesa se juntaban botellas vacías de vino y coca-cola. Nadie se había tomado la molestia de retirar las colillas del cenicero.

En el despacho, la colección encuadernada de *La Ilustración Española y Americana* dormitaba tras los cristales de la librería. Cuando chico, había pasado tardes enteras hojeándola en el jardín y me aproximé a tocar el misal con cantoneras de doña Luz. Su retrato solemne ocupaba el sitio de costumbre enfrente del de su esposo. Lo examiné unos segundos —el tiempo de revivir la línea de sus rasgos— y, al cabo, me emboqué por el corredor, en medio de la doble fila de habitaciones.

La de Miguel caía a los huertos de delante y entré sin llamar. Alguien había emparejado las hojas de la ventana, pero la luz se colaba por las rendijas. Miguel no estaba allí.

Como en el pasado, el cuarto parecía una leonera. Los libros se amontonaban por decenas encima del escritorio —diccionarios, gramáticas, tratados de botánica y geología, libros científicos y filosóficos. En el brazo del diván había una taza de café y los residuos mordisqueados de un bocadillo.

Damiana había depositado las maletas en mi dormitorio y me asomé a ver. La habitación olía fuertemente a húmedo, como si no hubiera sido habitada desde hacía mucho tiempo. El moblaje era el mismo de cinco años atrás y reconocí el cromo religioso de la pared, adornado con calados y purpurina.

La mujer de José se lamentó de la suciedad de la casa —la culpa no era de ella, había añadido inmediatamente, sino de la nueva familia de colonos que vivía en los bajos; una ventolera de la madre de Miguel, meses antes de bajar al sepulcro. Desde que estaban allí, las cosas andaban de patas arriba. El polvo se acumulaba debajo de las camas, a nadie se le ocurría levantar el fanal para dar cuerda al reloj. Ella no comprendía aún cómo los señores tenían tanta paciencia.

—Además, son unos liosos. En cuanto me ven, ponen la cara larga.

La vivienda de José distaba una veintena de metros de la principal y di la vuelta por el jardín con Damiana. En los establos, un mozo que no conocía quitaba la enjalma a un caballo zaíno, plagado de mataduras. Como ella cruzó por su lado sin saludarle, deduje que pertenecía al bando rival.

—José se llevará un alegrón cuando le vea... Siempre le trae a usted en la conversación. Esta mañana preguntó al señorito Miguel qué día venía.

Las gallinas picoteaban por la era y los perros se pusieron a ladrar. Damiana les amenazó con la mano. «Callad, imbéciles, ¿no veis que es el señorito Bruno?» Pero ellos me olisqueaban con desconfianza y aumentaron sus ladridos.

El más chico era un foxterrier grifón, de morro corto, educado sin duda para la caza. Me arrodillé a hacerle mimos y, en seguida, se dejó acariciar y se aplicó a brincar alrededor de mí dando gemeques.

—¡José! —gritó Damiana—. ¡Mira quién ha venido!

Sentado en el perfil de la era, observé el paisaje del valle. Los labradores de la vertiente opuesta encendían fuegos para abonar el suelo. El viento barría las nubes hacia el monte. En los bancales, las sementeras empezaban a campear.

José vino ciñéndose los pantalones con el cincho. Acababa de remojarse la cabeza —el agua le escurría aún por la cara— y me estrechó torpemente la mano.

—¡Ay, caray! —repetía—. ¡Quién lo iba a decir!

Parecía contento de verme y su rostro se ensanchó con una sonrisa. A mí me agradaba también estar con él, al cabo de tanto tiempo, y dije que lo encontraba igual.

—El cabello le comienza a caer —repuso Damiana.

José se acarició la pelambre del pecho.

—Mientras no me falte abajo... —dijo.

—¿Qué tal va la caza? —pregunté.

—Así asá —José hizo un ademán con la mano—. No sé qué ocurre con las liebres, pero cada vez hay menos. El año pasado, en cambio, la perdiz se dio fácil. Miguel y yo cobramos más de trescientas.

Los perros le rodeaban gimiendo y se frotaban contra las perneras de su pantalón.

—Aparte de esto —dije—. ¿Qué es de tu vida?

—Aquí, como siempre... Primavera, verano, otoño, invierno, y vuelta a empezar.

—¿Os defendéis bien?

—Esta temporada ha llovido bastante.

Damiana intervino para decir que, sin los otros colonos, las cosas irían mucho mejor.

—Tú calla, mujer —contestó José—. ¿A él qué se le importa?

Le había pasado mi paquete de *Gitanes* y arrimó el mechero.

—Ya te enteraste de lo de Armando...

—Sí.

—Hacía tiempo que me lo temía —dijo—. ¡Me cago

en la mar!

Antonio se asomó por el hueco de la ventana. Había abierto la boca para decir algo y, al divisarme, guardó silencio.

—Anda, ven —dijo Damiana—. ¿Conoces a este señor?

El niño se limitó a mover negativamente la cabeza. Era robusto y alto, de pelo pajizo y crespo.

—Es el señorito Bruno. ¿No te acuerdas de él?

—No.

—Cuando eras más pequeño te había llevado muchas veces de paseo a la fuente, con el señorito Miguel y la señora, que en paz descanse...

El niño me dio la mano y José insistió para que le honrara la casa.

—Sírvenos dos vasos de vermú, mujer —dijo.

Colgados en la pared del zaguán había una zamarra de piel, un sombrero de lona y una escopeta.

—¿Es la tuya? —pregunté.

—Sí.

—¿Qué calibre calza?

—Doce —José la agarró por el guardamanos y me la alargó—. Pero un día de esos me la voy a vender. Es muy desabrida.

El coche llegó después de la una. Había subido al depósito de arriba tratando de localizar el escondrijo de Miguel y oí los bocinazos mientras regresaba por el bosque. Un Dofín de color rojo irrumpió en tromba por la terraza. Desde mi descubridero escuché voces y risas. El automóvil frenó bruscamente y se detuvo a la sombra de los eucaliptos. Una muchacha corrió hacia la galería y la reconocí por la fotografía de la boda. Era Mara.

—¡Miguel! ¿Dónde está Miguel?

Iba vestida con tejanos azules y blusa de colores y el pelo corto y los ademanes resueltos le daban una graciosa apariencia de muchacho. Cuando me vio se paró, sin manifestar ninguna sorpresa.

116

—¿Quién eres tú? —dijo.

Un chico de una veintena de años había surgido tras ella, llevando al niño de la mano. Mara rechazó la mecha de pelo que le cruzaba la frente. Le dije quién era, pero fingió no oírme.

—¿Y Miguel? —preguntó.

—No lo he visto —repuse—. Lo se buscado por el depósito y el banco de piedra. No está

—Entonces debe de escribir en el Antro —dijo. Se volvió hacia el chico y nos presentó—. Vamos, rápido —añadió—. Se va a dislocar de risa.

Jorge y yo la seguimos por el pasillo y subimos la escalera de adobe hasta el sotabanco. Las buhardillas ocupaban el piso entero —eran nuestro refugio favorito cuando queríamos reflexionar a solas— y estaban cubiertas de teja vana, con grandes vigas de madera que descendían por los lados conforme a la inclinación del tendido. Mara empujó la primera puerta a la izquierda.

—Miguel —dijo—. ¿A que no adivinas qué ha pasado.

Miguel fumaba extendido por tierra, en medio de una cáfila de libros y enarcó las cejas al verme. Mara contó que el guarda de los baños anduvo espiando su dos-piezas durante toda la mañana y, finalmente, se había acercado a ella para decirle: «Señorita, hace largo rato que la observo. Si no se cubre usted, no tendré más remedio que imponerle una multa.»

—Me gustaría que hubieses visto su cara —dijo—. El pobrecillo estaba congestionado, ¿verdad, Jorge?

Miguel se incorporó riendo en el colchón y nos abrazamos. A mí me pareció más flaco y pálido que antes, como prematuramente envejecido. Su mejilla rozaba la mía y pensé que era cosa de la barba.

—Mi marido anda siempre hecho un asco —dijo Mara leyéndome el pensamiento—. No hay forma de conseguir que se afeite como Dios manda. Tú que lo conoces desde hace más tiempo, a ver si lo convences. Yo le he sermoneado miles de veces, como una de esas esposas gordas que salen en el cine y, chico, ni por estas. En cuanto se encastilla en su idea, ni Lepe consigue desaferrarlo. Ni que fuera aragonés, hijo.

—La higiene es una virtud burguesa —dijo Miguel—. La perfumería me repugna.

—Tú siempre con teorías. Sí, sí lo sabemos. Eres más listo que todos. Nosotros, pobres mortales, no comprendemos nada... Pero te advierto desde ahora: como no te afeites, esta noche te acuestas con Jorge o con tu amigo Bruno. Yo ya estoy harta.

Miguel me cogió del brazo y bajamos al jardín. En la galería, una muchacha morena, de facciones aindiadas, retiraba las botellas de la mesa y me deseó los buenos días. Mara y Jorge habían ido a ducharse y nos sentamos en el banco del cenador.

Hacía muchos años que no hablábamos con tranquilidad y le interrogué acerca de Armando y el libro sobre los erasmistas. A mí me impresionó mucho su análisis de la cultura renacentista, hasta el extremo de que en la Sorbona lo había tomado como punto de partida para la exposición de mis cursos. Formulé algunas reservas en cuanto a la influencia que atribuía a Luis Vives y Miguel se acarició la barba y afirmó que su libro no ofrecía ningún interés. Había dejado a un lado los problemas más importantes, dijo, y me envolvió en razonamientos para demostrar que era inútil.

—Da una en el clavo y cien en la herradura... Todavía no entiendo cómo ha gustado.

—¿Qué preparas ahora? —pregunté.

—Nada —repuso Miguel—. Estudio.

Mara vino a comunicarnos que el aperitivo estaba servido y nos acomodamos en el sofá de la galería ante una bandeja llena de platillos con almejas, aceitunas rellenas y espárragos de lata. Jorge descorchó una botella de Castell del Remey. Mara vestía una falda de hilo crudo que casaba con el color atezado de sus piernas. El picú transmitía *South Rempart Street Parade* y Miguel habló de la embocadura de los vinos y dijo que los de la Rioja carecían de personalidad.

—¿No lo sabías? —exclamó Mara—. El vino y la caza es lo único que le interesa.

Durante la comida resumí mi lectorado en Oslo, Heidelberg y París. Conocía muy bien el género de humor de Miguel y desempolvó varias historias de efecto seguro. Miguel reía, pero en ningún momento tuve la impresión de que entrábamos en contacto. Nuestra anterior intimidad había desaparecido. Mara, en cambio, escuchaba divertida y, cuando la chica morena vino con la fruta, se encaró de repente con Jorge.

—Oye —dijo—. Ahora que estamos reunidos, ¿por qué no explicas a Bruno cómo anda tu tesis?

Miguel la observaba con cierta sorpresa y el muchacho enrojeció. Hubo un punto de silencio.

—No he avanzado gran cosa, la verdad —dijo Jorge.

—Eso lo sabemos ya —cortó Mara—. ¿No se te ha ocurrido ninguna idea?

—He estado dándole vueltas a aquello que dijiste... —Jorge hablaba dirigiéndose a Miguel.

—¿Dónde? —insistió Mara—. ¿En la playa?

Jorge balbuceó confundido y Mara me informó de que los padres del muchacho habían aceptado que fuera al Mas, a condición de que trabajara con Miguel.

—Hace tres semanas que está aquí y, en lugar de estudiar, prefiere ir a bañarse conmigo.

Mara nos sirvió el café en la galería —el disco de turno era *Saint James Infirmary*— y, al cabo de unos minutos de conversación, anunció que iba a leer a la terraza.

—Ven tú también —dijo a Jorge—. Miguel y Bruno tienen muchas cosas que contarse. Me gusta que los hombres hablen a solas.

Miguel encendía un cigarrillo con la colilla de otro y

propuso que fuéramos a dar una vuelta. El resistero del sol hacía daño a la vista y fui a buscar las gafas ahumadas. Cuando salimos, Mara leía tumbada en una gandula. Jorge se había refugiado en el cenador y contemplaba ensimismado el paisaje.

Por espacio de unos segundos caminamos a la sombra de los árboles, en dirección al banco de piedra. Los alcornoques habían sufrido recientemente el descasque y, desprovistos de corcho, retorcían sus troncos nudosos, con atormentados ademanes. A medida que nos acercábamos a la torrentera, el calor empezó a ceder. La cresta del monte nos ponía al abrigo del sol. El muérdago cubría las ramas de las encinas y la vegetación se espesaba. En la vertiente, Miguel y yo habíamos construido un tollo con ramas de madroño y tamujo, para acechar la caza junto al arcaduz. Mientras buscábamos los vestigios, Miguel aparejó el oído y se detuvo. Las perdices cantaban en el bebedero y, como si hubieran barruntado nuestra presencia, levantaron vuelo con ruido y se emboscaron en los castaños.

—Un día de esos podemos salir de caza con José —dijo Miguel—. Torrente abajo hay muchas torcaces.

—¿Y la veda? —objeté.

—El guardabosques está medio sordo y no se mueve del pueblo. El único peligro son los civiles.

Habíamos atravesado el castañar y, siguiendo el lecho arenoso de la torrentera, avistamos la fuente. Culantrillos y zarzas obstruían el camino y era preciso avanzar muy despacio. Las palomas zureaban en el breñal. Miguel bebió unos sorbos de agua y nos sentamos sobre la laja que servía de mesa.

—¿Te acuerdas? —murmuró.

La fuente traía muchas imágenes de la niñez a mi memoria y busqué inútilmente la inscripción que gravé en la corteza del plátano con mi navaja.

—¿Qué tal se encuentra Armando? —dije—. ¿Podéis verle?

—Mara va cada semana con Dora.

—¿Dora?

—Su amiga. Una chica muy intelectual. Si quieres acompañarlas...

Miguel fumaba abstraído y no insistí.

—La vida en el extranjero te pinta bien —añadió luego con cierta agresividad—. ¿Es verdad que te casas?

—¿Yo? ¿Quién te lo ha dicho?

—No sé. Alguno que venía de París. Me dijo: Bruno vive con una francesa y van a casarse.

—La primera noticia.

—¿No vives con una francesa?

—Sí.

—Bueno. Lo de la boda debió de inventarlo.

Me pareció que quería agregar algo —sus ojos brillaron un instante, como si fuera a hacerme una confidencia, pero mudó de idea y su rostro se enfoscó.

De regreso al Mas —Miguel andaba con las manos en los bolsillos y me expuso sus proyectos de trabajo— encontramos a Jorge sentado en el borde del estanque. Las ranas habían desaparecido bajo el verdín y removía las ovas del fondo con ayuda de una caña.

—Dora viene esta noche con Álvaro y Luis —anunció—. Acaban de telefonear hace un minuto.

Me fui a descansar a la galería y leí una novela de aventuras de una asentada. Mara salió a pasear a media tarde, después de dar la papilla al niño. Jorge se había ofrecido a acompañarla, pero ella dijo que deseaba ir sola. «Los hombres sois unos egoístas, exclamó. Si cargaras un hijo y una casa a tus espaldas como yo, comprenderías el valor del silencio.» Jorge amorró la cabeza y seguí a Mara con la vista mientras se alejaba por el bosque.

Luego el muchacho se tumbó en el sofá y se lamentó de la rutina e insipidez de sus estudios. Hacía únicamente un año que preparaba la licenciatura de Románicas, dijo, y aborrecía ya todas las asignaturas. La culpa era de los profesores, que no valían cosa. En cuanto obtenían la cátedra, se dedicaban a otros asuntos y enviaban un sustituto. Quien le había suspendido era un auxiliar de tres al cuarto, incapaz de la menor iniciativa: «Para escucharle hay que tener buenas tragaderas. Si hubiera alguno como Miguel, otro gallo cantaría.»

Jorge hablaba con gran vehemencia y me confió que proyectaba un viaje por Francia e Italia tan pronto como le fuera posible.

—¿Crees que en París podré ganarme la vida? —dijo.

—Eso depende de lo que llames tú ganarte la vida —repuse.

—Bah, yo me contentaría con cualquier cosa... Lo suficiente para comer y dormir. Tengo un amigo que se defiende fregando platos.

Entre dos luces, salí con él a estirar las piernas. El cielo se había cubierto progresivamente y, mientras contemplábamos el mar gris y borroso, comenzó a pintear. La penumbra del valle estaba impregnada de vida. Una mujer llamaba a alguien a gritos, se oía el monótono traqueteo de un carro. Cerca de nosotros un perro se puso a ladrar. La muchacha que nos había servido al mediodía subía la cuesta porteando un haz de leña a la espalda y Jorge amusgó la vista para observarla mejor.

—¿Quién es? —dije—. ¿Vive con los colonos de abajo?

—Es una de las hijas —explicó—. ¿Aún no has ido a verlas?

Bajamos a la era y, al asomarse por el pretil, divisé la silueta de José forrajeando en los bancales. La lluvia había sido un matapolvo, pero las nubes cubrían totalmente el cielo. La moza pasó delante de nosotros y nos saludó con una sonrisa. Sus piernas eran robustas y bien formadas y, durante unos segundos, mi mirada se regaló con el trazo sugestivo de sus curvas. Una mujer —la madre, sin duda— descañonaba un pollo sentada frente al tranco de la puerta.

Jorge se acercó a pegar la hebra y entramos en el zaguán. La casa estaba llena de muchachas que volvían de trabajar el campo igual que los hombres y admiré su vigor animal y su lozanía. La más joven cernía harina con el cedazo y la tercera desapareció en las habitacionnes del fondo y vino con una almorzada de arroz.

—¿Cuántos serán esta noche?

—Siete —repuso Jorge.

—Pon un puñado más —dijo la madre.

La cocina no había sufrido modificación alguna. La muchacha morena —sus hermanas la llamaban Lolita— amontonaba la hornija junto al arrimador de la chimenea y encendió la lumbre. Las llamas afogonaban su rostro aindiado, y se ofreció a prepararnos el té.

—Gracias —dijo Jorge—. Beberemos algo arriba.

Las dos viviendas se mandaban por una escalera interior. Jorge dio luz a la cocina y sacó dos botellas de coca-cola de la corchera.

—Podemos tomar un cuba-libre —dijo—. ¿Qué te parece?

Miguel hablaba con su mujer en el jardín. Cuando llegué, Mara compuso una sonrisa y preguntó si me encontraba bien en el Mas. «Es terrible, murmuró. Miguel y tú tenéis un pasado, mil recuerdos comunes. Desde que has venido me siento fuera de juego, como excluida...» Miguel la escuchaba en silencio y vi que se había afeitado. Jorge apareció con la ginebra y las coca-colas. «¿Queréis remojarla también?», dijo. Las ranas del estanque croaban como en sordina y, al poco, un túnel de luz ciñó la hilada de cipreses del camino y los tiestos de begonias de la balaustrada.

—Son ellos —dijo Miguel con voz lúgubre.

Un Seat 600 de color blanco se inmovilizó a escasos metros de nosotros. Sus faros orillaban el tronco andrajoso de los eucaliptos y los ocupantes del coche se apearon

123

alborotando y riendo. Mara nos presentó y todos entramos en la galería.

La amiga de Armando era una muchacha alta, de cabello rubio ceniza, labios finos y ojos interminables. Muy excitada, anunció que se había levantado con el pie izquierdo y necesitaba unas copas para entonarse.

—En cada pueblo nos parábamos a beber un vodka —dijo.

—Los tres andamos a medios pelos —añadió Luis.

—¿Qué queréis tomar? —preguntó Mara.

Luis dijo que el alcohol le ponía rijoso y se interesó por Lolita.

—Lolita tiene novio —advirtió Mara.

—Los señores feudales se acostaban con las hijas de sus colonos... ¿Por qué no volvemos a la Edad Media?

Álvaro nos encajó la historia de un tal Andrés, que paseaba a caballo por sus fincas vestido de Robin Hood y reunía cada domingo a sus peones en la capilla y les obligaba a escuchar motetes del Padre Vitoria.

—Deberíais hacer como él —concluyó.

Mara dijo que tenían cosas más importantes en que ocuparse.

—Es verdad, es verdad —exclamó Luis—. ¿Sabéis cuál es el último grito de la moda en Barcelona? —Como todos callábamos, anunció:— comprar un tocadiscos tragaperras como los de los bares e instalarlo en casa. Mi hermana conoce a unos tipos que tienen uno.

—¿Quién pone las rubias? —dijo Mara—. ¿Los invitados?

—Sus hijos —repuso Luis—. Según parece son muy estudiosos y la abuela les da veinte duros cada semana.

—Mi hermana abre siempre la hucha de Arturo y arrambla con su dinero —dijo Dora—. Cuando están entrampados, el niño les salva la papeleta.

—Eso está bien —dijo Álvaro—. Enseñar la vida a los hijos. Que no se fíen ni de su propia madre.

124

Empezaba a cansarme de sus desbarros y acompañé a Mara a la cocina. Lolita se afanaba de un lado a otro con bandejas y platos. Dijo que había arroz al horno y pollo en pepitoria: «¿Necesitan algo más, señorita?» Mara repuso que no y, al quedar solos, quiso saber mi opinión sobre Dora.

—Es guapísima, ¿verdad?

Le dije que no estaba mal y ella me observó con el rabillo del ojo.

—Es curioso —murmuró—. Todos los hombres dicen que no les gusta. Yo la encuentro muy guapa. Tiene una belleza de medalla, tal vez un poco fría... No sé. Puede que me equivoque.

Mientras descorchaba las botellas de Perelada explicó que era muy buena chica, pero incapaz de vivir un instante a solas. Desde que conocía a Armando respiraba únicamente por él. El resto del mundo se le importaba una higa.

—¿Qué hace? —pregunté.

—Estudia en el Instituto del Teatro. Estoy segura de que se abrirá camino. Tiene verdadero talento.

Mara agregó que la apreciaba mucho pero que, a menudo, la desatinaba.

—Todo el santo día te habla de Armando, como si no hubiera otro nombre en el santoral. Miguel no la puede sufrir.

Cuando volvimos a la galería, Álvaro puso el disco de Marlene Dietrich. Jorge me espiaba con el semblante hosco. Dora se había apoltronado en el sofá y fingió un mohín de niña.

—Nadie me ha hecho ningún cumplido por el peinado... Esta tarde he pasado más de tres horas frente al espejo, cambiando de maquillaje y laca de uñas. Quería vestirme como en la época del charlestón.

—El flequillo te sienta bien —dijo Mara.

Miguel miraba el suelo sombríamente y de improviso

se reanimó.

—Todo lo que te cubre la cara te favorece —dijo.

Dora rió sin ganas y hubo un momento de silencio.

—¿Por qué no cenamos? —propuso Mara.

Miguel nos había contagiado su melancolía y, alrededor de la mesa, la conversación desmedró. Mara repitió la historia del guarda de los baños y Álvaro y Luis contaron los últimos chistes que corrían por Ginebra (los dos estudiaban allí). Jorge disimulaba mal su contrariedad. El arroz al horno resultó desaborido y seco y Miguel señaló la bandeja y aseguró que le ponía triste.

—Parece un paisaje de Castilla —dijo.

Mara le fulminó con la mirada y, cuando acabamos el café, les oí discutir ásperamente en el jardín.

—Siempre andan al toma y daca —susurró Álvaro—. Luego se acuestan juntos y, al día siguiente, tan amigos.

Dora dijo que Armando y ella reñían también por fas o por nefas y al cabo de cada pelea se querían más que antes.

—Pobre Armando querido… ¿Qué debe de hacer a estas horas?

—Dormir —repuso Álvaro—. ¿Qué carajo quieres que haga?

De nuevo llovía fino y Miguel y su mujer regresaron. Si hago bien memoria, Mara sonreía. Las falenas rondaban el globo de la luz. Soplaba un ventolín fresco y Miguel comunicó que iba a acostarse.

Yo me moría de ganas de ir a descansar, pero los demás insistieron para que permaneciera todavía un rato, «Hemos venido a instalarnos definitivamente en el Mas, dijo Dora. Nos quedaremos aquí hasta que nos echen.»

El Perelada se dejaba beber como agua y, al mediar el cuarto vaso, descubrí que me había subido a la cabeza. Mara y Luis discutían el programa de la verbena de San Juan. Dora escuchaba aún a Marlene Dietrich. Al fin, conseguí darles el quiebro y dormí a pierna tendida hasta el alba.

Cuando salí al jardín, el rocío salpicaba las flores. Encontré abierta la puerta de la galería y vi a Mara en el otro extremo de la terraza barriendo la hojarasca con una escoba. Vestía camisa de hombre y pantalones tejanos y me preguntó si había podido descansar.

—Muy bien —dije.

—¿No te despertó el jaleo que hicimos?

—¿Qué jaleo?

—Álvaro y Luis entonaron canciones verdes hasta las cuatro.

—Pues no os oí.

—Menos mal. Estaba realmente intranquila por ti. Pensé: Como este Bruno se despierte, mañana se vuelve para Francia sin despedirse...

Mientras ella escobaba, le expliqué que no era hombre de mal dormir.

—En París me he acostumbrado al ruido —dije—. ¿Y tú? ¿Cuántas horas has descansado?

Yo soy una mañanera incorregible —suspiró—. El pobre Miguel lleva un vía crucis conmigo. Es algo más fuerte que yo. A las siete tengo que estar de pie.

Mara barría las hojas dentro de un cesto de mimbre y apuntó con el dedo hacia los alcornoques.

—Me encanta trabajar la tierra —dijo—. Mucha gente me toma por una intelectual y, en realidad, soy completamente primitiva. Toda la ladera del monte, la he limpiado yo. La leña que recojo sirve para la casa. De este modo ahorro unas pesetas cada mes y puedo mimarme un poco.

El día invitaba a dar un paseo y atajé por el bosque hacia los algarrobos. A aquella hora los nopales parecían más verdes que nunca. La lluvia había lavado el polvo de las palas y los chumbos comenzaban a pintar. La majada se amontonaba en el mismo lugar de siempre, a la derecha del camino. A mí me agradaba su olor áspero y me detuve a admirar el cañizal y la rambla. Algunos pasos más allá había una almáciga en donde José sembraba las

coles antes de trasplantarlas a los bancales. Una cabra ra-
moneaba las acacias, sujeta con una cuerda. Bordeando los
campos de sequío, bajé hasta el torrente en busca de José.
Un mozo pelirrojo layaba la tierra en la linde del huerto.
Cuando pasé, me deseó los buenos días y dijo que José
había ido de compras al pueblo con la tartana. Hablaba
con fuerte acento andaluz y se pasmó de verme en pie tan
temprano.

—¿Y usted? —dije—. ¿A qué hora se suele levantar?

—Ezo depende der tiempo —repuso—. En verano, a
la cinco... en invierno, un poquico má tarde...

—¿Y dice que me despierto pronto?

—Nozotro e diztinto, zeñorito. Lo pobre etamos ya
acotumbrao...

En el Mas, la gente se desperezaba poco a poco. Lolita
había servido el desayuno en el jardín y, al filo de las
diez, Miguel, Jorge y Luis se asomaron a la terraza. Mara
preparaba tostadas con mantequilla y vigilaba los chapoteos del niño en su piscina de goma. Damiana vino con
un cofín de brevas. «Están fresquísimas, señorita, dijo. Si
quieren cerezas, también les puedo traer.» La hermana
mayor de Lolita la espiaba desde el puentecillo y, cuando
las dos se fueron, Mara dijo que estaba harta de consejas
y chismes y se lamentó de la falta de ayuda de Miguel.

—El señor se rasca la barriga tan tranquilo y una tiene
que cargar con todo...

—¿Qué quieres hacer? —dijo Miguel—. ¿No ves que
es inútil?

—Eso lo debes decidir tú —repuso Mara—. Tú eres
un hombre.

Dora surgió en camisón igual que un fantasma y Mara
explicó que los colonos de abajo habían tenido unas palabras con Damiana en el lavadero y la ponían de embus-
tera y ladrona.

—Te advierto que como esto siga así acabará mal. El
día menos pensado se liarán a navajazos.

Mientras los demás se apercibían para la playa, Miguel me llevó del brazo a la galería. Yo prefería tostarme en el solejar de arriba y fui a buscar el traje de baño a la habitación. Cuando volví, Dora y Jorge aguardaban en el puentecillo. Luis sonaba impacientemente el claxon. Mara me preguntó si iba con ellos.

—No —dije.

Al explicarle que me quedaba a nadar en el depósito, mudó de idea y anunció que iría conmigo.

—Bueno, yo me quedo también —dijo Jorge.

—Bruno y yo queremos hablar a solas —repuso Mara con brusquedad—. Si la playa te aburre, vete a trabajar con Miguel.

El paisaje del estanque me era entrañablemente familiar. El suelo estaba cubierto de hierbajos, el aire olía vagamente a tomillo. Muchos veranos, Miguel, Armando y yo nos habíamos cocido al sol horas y horas hasta los límites del embrutecimiento. El lugar era un auténtico chicharrero; jamás soplaba un chispo de aire.

Mara me embadurnó la espalda de crema antisolar y, durante largo rato, escuché el zumbido de las abejas ocultas en el follaje del madroño. Mara se había tumbado boca abajo con la mejilla apoyada en el albornoz. Al acostarse había desatado el sostén del bikini y observé que el moreno de su espalda era uniformemente liso.

—Es curioso —murmuró—. A través de las historias de Miguel te veía muy distinto. Cada vez que le escribías, yo leía lo que contabas y trataba de imaginar cómo eras... Ya sé que eso de curiosear las cartas ajenas es feo, pero no lo puedo evitar... Es un defecto terrible.

El sol llameaba sobre nosotros y entorné los párpados para verla. Mara permanecía con los ojos cerrados, con una expresión de abandono infantil. Entre los dos había una mata de cantueso y cogí el fruto y me lo llevé a la boca.

—¿Qué tal has encontrado a Miguel? —dijo de pronto.

129

—No sé —repuse—. Es difícil de explicar... Creo que
ha cambiado mucho.

Mara enarcó levemente las cejas. Sus ojos, pequeños y
negros, pillaban enfrente de los míos.

—Yo ya no sé qué inventar con él. Cada día parece
un poco más lejos del mundo. Se ha construido un refugio
para él solo y no sale de allí... Tú que lo conoces de chico
debieras hablarle. Contigo se confiará más fácilmente. A mí
me resulta imposible.

Al incorporarse, Mara sujetó el sostén contra sus pechos. El canto de las cigarras parecía brotar de la misma
tierra. Un tábano se había posado en sus rodillas y lo
sacudió de una pernada.

—¿Te ha dicho algo acerca de Armando?

—Sólo unas palabras.

—Aunque no lo muestre sufre muchísimo. Creo que es
la persona a quien más quiere en el mundo. Yo hago lo que
puedo para sacudirle, pero, hijo, el Miguelito se las trae...
Como no vayas tú a su querencia, él no se mueve.

Mara se irguió desnuda de cintura para arriba y chapuzó en el estanque. Los tejedores que corrían por la cara del
agua huyeron despavoridos. Tras bucear unos segundos,
asomó la cabeza a una docena de metros y empezó a bracear en dirección opuesta a donde yo estaba.

La resolana me ofuscaba la vista y me zambullí también. El agua verdosa apenas filtraba la luz. Cuando emergí
procuré mantenerme a flote con un aleteo de las manos.
Encima de mí el cielo ondeaba blanco y azul. Todo invitaba a cerrar los ojos y boyar horizontalmente hasta cansarse.

De vuelta a la solanera, Mara explicó que Miguel necesitaba distraerse y ver gente y dijo que yo había venido
como pintado. La presencia de Jorge, añadió, había sido
muy útil, pero Jorge era aún una criatura, con los defectos
y las virtudes de los diecinueve años y su condición de
hijo único.

130

—El pobre tiene reacciones de verdadero adolescente. Imagina que, desde hace unos días, se le ha metido en la cabeza la idea de que está enamorado de mí y no hay forma de convencerle de que se engaña. Su madre le ha estropeado consintiéndole sus caprichos y se pone furioso porque no lo tomo en serio.

Mara se pulverizó la piel con una botellita de plástico y agregó que todos los hombres se comportaban como chiquillos: «No entiendo por qué os cuesta tanto hablar. Armando y Miguel son los mejores hermanos del mundo y, a solas, nunca discuten en serio. Las mujeres somos mucho más libres que vosotros.»

Miguel subió a bañarse a la una y, cuando la banda regresó, nos reunimos a tomar el aperitivo en la terraza. Como la víspera, había almejas, espárragos, aceitunas y dos botellas de Castell del Remey. Las ramas de los eucaliptos hacían sombrajos en la mesa. Dora vestía un traje-tubo, con la cintura a la altura de las caderas, y dijo que faltaban veintidós horas para la visita de Armando. Jorge había recibido una llamada telefónica de sus padres, conminándole a presentarse en Sitges y, al pasar tras él, Mara le rodeó el cuello con los brazos y le susurró unas frases de cariño.

—¿Qué vas a hacer? —preguntó Luis.

—No sé —dijo Jorge—. Me dan ganas de plantarlo todo y largarme a Francia.

Mara velaba por la continuidad de los ritos y, después de la comida y el café, fui a sestear a la habitación. Cuando desperté eran las cinco y pico. El sol de la ventana hacía escardillo en el techo y escuché amodorrado el zumbido de las moscas.

En la galería, el picú transmitía una nana de Atahualpa Yupanqui. Dora me miró con sus ojos de gacela triste. «Son los discos de Armando», murmuró. Me senté a su lado y me alargó una pila de microsurcos: Paul Robeson, canciones francesas, l'*Opéra de Quatr'Sous*. Llevaba el mismo flequillo corto de la noche y, con cierto asombro, descubrí que las lágrimas le corrían por las mejillas.

—La ginebra me hace llorar —dijo con voz temblorosa.

Mara venía por el puentecillo del brazo de Jorge y, al verla, se encolerizó.

—¿Quieres dejar de masturbarte de una vez?

Dora se empolvaba la cara, pero el temblor de las manos la vendía. De improviso, sin poder contenerse, rompió en sollozos y huyó apresuradamente por el pasillo. Mara se precipitó en seguida tras ella.

—¿Qué le ocurre? —preguntó Jorge.

—No sé. Cuando he llegado estaba llorando.

Álvaro y Luis se aproximaron a averiguar qué sucedía y Jorge explicó que Dora andaba mal de los nervios.

—Todo el día bebiendo café. Luego, para dormir, necesita cajas enteras de somníferos.

Miguel consultaba sus diccionarios en el Antro y le solté a quemarropa lo que Mara había dicho de Jorge. El sol del atardecer doraba las vigas inclinadas del techo. Miguel encendió un cigarrillo y esbozó una sonrisa burlona.

—Jorge es un sentimental. Su madre está enamorada de él y las mujeres le fascinan... Mara y yo le queremos mucho.

Como de costumbre, se atrincheraba en la ironía y no quise insistir. En la terraza, la banda se disponía a ir a hacer compras en el pueblo. Dora hablaba con voz aguda y reía muy fuerte: «¿Vienes con nosotros?», preguntó Mara. Dije que no me apetecía y me senté en el banco del cenador.

Al poco, José vino a abrir el estanque, descalzo y con la camisa fuera. Me contó que el caño del agua se atascaba a menudo y le acompañé a la cera a ver si manaba.

—Esta mañana me han preguntado por ti —dijo.

—¿Quién?

—¿Te acuerdas de Luciano?

—Sí.

132

—Cuando escribiste a Miguel le dije que venías y me ha dicho que le gustaría saludarte.

—¿Qué día le vuelves a ver?

—Mañana voy con la tartana a coger pienso. Si quieres, podemos pasar por su casa.

—De acuerdo. Se lo diré a Miguel e iremos los tres, como antes.

Mientras caminábamos hacia la huerta habló de Luciano y su mujer. Según José, la hija mayor era una moza hecha y derecha y daba gloria mirarla. «Te aseguro que merece el viaje. Los chicos del pueblo andan locos tras ella.»

El agua bajaba impetuosamente por el arcaduz y José y el muchacho pelirrojo empezaron a sorregar los bancales. Años atrás, Miguel, Armando y yo habíamos chapoteado en el fango como ellos. El trabajo del campo me agradaba y, una vez más, lamenté la estrechez y el ahogo de París. El agua seguía la albardilla hasta el otro extremo de la amelga y se embocaba en los lindones. Cuando llegaba al final de la regata, José obstruía la entrada con el azadón y abría la siguiente.

—En el pueblo se acuerdan mucho de ti —dijo—. Cada semana voy a jugar al truco al bar de Tano y no pasa domingo sin que alguno te miente.

Con voz pausada me puso al corriente de la crónica durante mis cinco años de ausencia: Marcos se había casado con la hermana de Telmo; Jordi tenía tres hijos y era tan calzonazos como antes; Martín murió de un accidente en la cantera de la rambla y su hermana —la que andaba mal de la cabeza— se había suicidado bebiendo una botella de lejía.

—¿Y el andaluz? —pregunté—. ¿Qué ha sido de él?

—Oh —dijo—. Ése continúa haciendo de las suyas. El otro día la mujer le encontró unas bragas de nailon que había comprado para su amiga y le dio una zurra que por poco le balda.

Miguel pareció encantado de mi iniciativa y decidimos organizar la cacería el día siguiente, en casa de Luciano. Estábamos tumbados en el jardín oyendo croar a las ranas del estanque, un tanto mustios a causa del calor.

—Podemos tirar a la torcaz. O ir al otro lado del monte, a ver si damos con alguna liebre.

—Hace seis años que no aprieto el gatillo —dije.

—Eso es como andar —repuso Miguel—. Uno no se olvida. Además, la escopeta de Armando es muy buena.

La luna quintaba aquella noche y, como anticipando los ardores del verano, relámpagos silenciosos iluminaban la montaña de modo intermitente. Mara y los otros vinieron casi a las diez. Al tomar las revueltas, el coche sonaba rabiosamente el claxon y Lolita encendió las luces de la galería.

—Se acabó la paz —dijo Miguel—. A veces me gustaría saber por qué no se quedan en Barcelona si tanto les gusta el barullo.

El Dofín frenó junto al puentecillo y, al apearse, Álvaro comunicó que traía un apetito de ogro. «Parecéis pochos, dijo Dora. ¿Qué os pasa?» Mara acarició los cabellos de Miguel y se instaló entre los dos, arrodajada por tierra. «El Bruno las mata callando, dijo. Hoy le ha escrito una francesa y la carta huele a perfume del bueno. Toma, hijo» añadió entregándome un sobre azul, «y apiádate un poco de las chicas del país, porque aquí somos unas sentimentales perdidas y un castigador como tú nos sorbe los sesos...»

En la habitación, mientras me mudaba para la cena leí la carta de Régine. Decía que su padre iba mejor («*aucun espoir d'héritage*») y describía melancólicamente la vida provinciana de Blaye y el paisaje amorfo del Garona. «*Réponds moi vite, je t'en supplie*», había escrito en un canto de la hoja, y decidí hacerlo antes de ir a la cama.

Mara había descorchado dos botellas de Perelada y solicitó la intervención de Miguel para convencer a Jorge de que obedeciera a su familia. Jorge permanecía callado

134

y taciturno. «Mi madre se empeña en creer que soy un niño de teta, murmuró. Estoy harto de que me traten como a un crío.» Dora dijo que debía mostrarse razonable: «Mañana te acompaño a Sitges, si quieres. Como es el día de visita de Armando...» Mara aprobó la idea y, tras laboriosa discusión, se decidió que Dora y Jorge saldrían en coche a las nueve de la mañana y se darían cita a media tarde en algún café de Barcelona, si Jorge había logrado vencer la resistencia de sus padres.

—¿Y tú? —preguntó Mara, volviéndose hacia mí—. ¿Por qué no vas a la visita con ella?

—Armando me pidió que no llevara a nadie —dijo Dora—. El pobrecillo quiere hablar a solas conmigo. Pero ya le diré que estás aquí. Si tienes que darle algún recado...

—Ninguno —dije—. Solamente que pienso mucho en él.

Después de la cena salí a pasear con Mara por el jardín. Se había levantado un remusgo ligero y los fucilazos perfilaban a trechos la cresta sinuosa de la montaña.

—¿Qué dice tu amiga? ¿Se consume sin ti?

Riendo, le expliqué quién era Régine, pero me interrumpió: —Te advierto una cosa. Lo mejor que puedes hacer es no contestarme. Soy una curiosa incorregible. Si me dan una mano, me llevo el brazo entero. Como no te defiendas un poco, estás perdido.

Nos habíamos sentado en el banco del cenador y contemplábamos el mar, iluminado por la luna. Los ojos de Mara relucían como los de un gato.

—¿Te has franqueado con Miguel? —dijo al cabo de unos segundos.

Le referí la breve conversación de la tarde y expliqué que, al día siguiente, iríamos a ver a Luciano.

—Miguel necesita desapolillarse —dijo Mara—. Estoy segura de que tu presencia le ayuda mucho. No sabes cuánto me alegro de que hayas venido.

—Yo también, Mara.

—¿Ah, sí? —dijo ella—. Y ¿por cuál de los dos te alegras? ¿Por él, o por mí?

—Por los dos —repuse—. Con vosotros me encuentro como en familia.

—Por piedad, no pluralices. Miguel y yo nos queremos muchísimo, pero somos dos personas diferentes. Nunca he podido soportar esta costumbre que tenéis de identificarme a él, como un objeto. Quiero que la gente me aprecie por mí misma. —Mara había encendido un cigarrillo e hizo una vendija con el humo—. Oh, yo sé que las esposas debemos ser los grillos del hogar y no podemos abrir la boca ni nadie nos pregunta la opinión, pero ¿qué quieres? Yo soy así. Siempre le dije a Miguel: Si no te resulta, me marcho y en paces.

Dora vino a buscarme y entramos en la galería. Jorge había bebido media botella de ginebra y se aguantaba escasamente en pie. Cuando nos vio, me miró con ojos encandilados.

—¿Qué te sucede? —dijo Mara.

—Nada —farfulló Jorge—. Me aburro.

—Quien se aburre a los dieciocho años merece palos. —Mara llenó un vaso de ginebra hasta el borde y se lo ofreció—. Anda, si quieres más, bebe. Aquí nadie te lo impide.

Jorge agarró el vaso. El pulso le temblaba.

—Le va a hacer daño —protestó Dora.

—Déjalo que haga lo que quiera. Ya es mayorcito para saberlo.

—No soy ningún niño...

—Ven, dame la mano, entonces. Te voy a preparar un Alca-Soda y mañana te levantas como nuevo.

Se alejaron los dos por el pasillo y Miguel dijo que Jorge tenía un carácter arrebatado: «Cualquier dificultad le parece una montaña, explicó. Cada vez que va a ver a su familia se emborracha y habla de suicidarse. La palabra mañana no tiene sentido para él. Únicamente vive para el día.» Dora dijo que Armando reaccionaba exactamente igual. «¿Os acordáis cuando hizo la mili?» No hubo respuesta, y aproveché el silencio para despedirme de todos y me fui a escribir a mi cuarto.

Muy de mañana, Damiana golpeó en la puerta con los nudillos y dijo que José nos aguardaba para salir. «El señorito Miguel se está desayunando en la terraza», añadió. Durante toda la noche había dormido a sueño suelto y me duché y afeité lo más aprisa que pude.

Fuera, el sol lucía a intervalos y el viento barría y deshilachaba las nubes. Miguel bebía el café absorto en la lectura del periódico. Dora y Jorge se disponían también a partir. Dora se había maquillado como una máscara, con labios de color rosa pálido y grandes ojeras de rimel: «Preguntaré a Armando si la próxima vez puedes venir», prometió. Jorge parecía mustio y abatido y, cuando subió al coche, Mara le susurró unas frases de consuelo. «Vamos, dijo Miguel con brusquedad. Apúrate un poco.»

Me bebí el café de un sorbo y, mientras el Seat daba la vuelta, caminamos los dos hacia la corraliza. El fresco de la mañana era agradable; a trechos, el aire olía a hierba húmeda. José había enjaezado el mulo y le ayudamos a enganchar la tartana.

—Qué —dijo—. ¿Hay sueño?

Vestía camisa blanca y pantalones azul marino y en sus mejillas afeitadas había residuos de jabón.

—Algo —repuse—. Aquí uno se malea en seguida.

José corrió a buscar los sacos del pienso y me entretuve examinando los arreos del mulo. La tartana era la misma que doña Luz empleaba los domingos para ir a la iglesia. Su entamaladura había descolorido un poco, pero observé que la tapicería de los asientos se conservaba intacta. El mulo piafaba de impaciencia y Miguel dijo que era un animal muy rebelón y lleno de resabios.

—El dueño anterior lo educó muy mal.

—Aquí decimos: Quien no sabe dominar su caballo,

tampoco mete en cintura a su mujer —dijo José.

—¿Quién os lo vendió?

—¿No lo adivinas?... Jordi.

—¿Lleva cuernos?

—Caray. —José reía enseñando los dientes—. Más que una arroba de caracoles.

Nos instalamos en la tartana y, en tanto que el mulo partía alegremente al trote, José explicó que la Martina se entendía con todo el mundo y el último hijo lo había padreado un andaluz que amadrigaban en su casa.

—Es un carbonero que trabaja al otro lado del monte. Hace un año que vive con ellos.

—¿Y Jordi? ¿Qué dice?

—Nada. Los mozos del pueblo le embroman, pero tiene buenas absolvederas y aguanta. El pobre está acostumbrado ya. Si tuviese que contar las que ha aguantado desde que se casó habría tela hasta la noche.

El camino culebreaba entre los algarrobos. Las chumberas formaban un seto espeso al pie del talud y, cerca del torrente, la temperatura refrescaba. En uno de los últimos bancales divisé un melonar. El mulo daba frecuentes repelones y José se veía obligado a tirar continuamente de la brida. Cuando llegamos a la vaguada giró el torno hasta el límite. El agua corría por los relejes del sendero y, al rozar con las ruedas del vehículo, los frenos producían un sonido bronco y desagradable.

—Buen año —dije señalando el arroyo.

—Muy bueno. Luciano ha construido un estanque nuevo para rebalsar el agua... En cambio, el otro invierno no cayó una gota. Mossén Pere tuvo que pasear el santo a lo menos dos veces...

En la encrucijada cedimos el paso a un carro con los varales pintados de amarillo. El arriero vestía un mandil azul y José y él echaron un párrafo en catalán. A partir de allí, el suelo del camino era de buen huello. Las cañas ocultaban completamente el paisaje y, de vez en cuando,

138

el mulo alargaba la cabeza y tronchaba una, indiferente a las injurias de José y a los fustazos.

La casa de Luciano distaba un kilómetro largo siguiendo el cauce de la rambla. Para llegar a ella había que atravesar el cañizar y apareció de pronto, musgosa y húmeda, en medio de un bosquecillo de nogales. Los amos la habían edificado a comienzos del siglo con el propósito de hacer una granja avícola, pero, después de enterrar una fortuna en obras tan inútiles como costosas, acabaron por arrendarla al terminar la guerra. Luciano había venido del Sur buscando trabajo y se afincó allí con los suyos. Mientras bordeábamos el nogueral, José explicó que gracias a él los dueños se habían salvado de la ruina.

Nuestra llegada sacudió a la casa de su modorra. Los perros nos recibieron ladrando y María asomó la cabeza por la puerta y llamó a su marido. Un muchacho salió corriendo del pajar. Luciano trabajaba en el campo con los mozos y, al vernos, vino hacia nosotros y besó a Miguel en las dos mejillas.

Luciano era bajo, de brazos fuertes y facciones rebultadas, casi morunas. Gastaba bigote cuadrado, patillas largas y una boina de color oscuro, levemente inclinada hacia la derecha. Sus ojos brillaban siempre con ironía. Me besó también, sonriendo, y María se enjugó las manos en el delantal y nos abrazamos.

—Hala, pasad —dijo él—. Hay que celebrar el encuentro.

Junto a la puerta había un jardincillo con amarantos y girasoles; los perros nos olían moviendo el rabo. La hija de Luciano se había escurrido tras las zahúrdas y María explicó que le daba vergüenza de que la viéramos así, vestida con las ropas de cada día.

—Es muy coqueta —dijo—. Todos los chicos del pueblo vienen a rondarla.

El zaguán servía de comedor y nos sentamos en torno a la mesa. Colgados de las vigas del almijar había horcas de cebollas y racimos de uva. Luciano descorchó una botella de Tío Pepe y llenó los vasos. Ni su mujer ni él habían mudado durante mi ausencia. María permanecía tan joven como antes. Él era el hombre de siempre.

—¿Qué tal la Francia? —preguntó.

Le referí cómo andaban las cosas y él me escrutaba con sus ojillos inquietos y aprobaba a veces con la cabeza. Luego hablamos de Armando y la gente joven, y María se acomodó entre nosotros con sus dos chicos y dijo que nunca había visto nada igual.

—Es que parece mentira... Todavía no entiendo cómo aguantamos.

Luciano dijo que no se podía nadar y guardar la ropa al mismo tiempo.

—Si me apretáis, diré que la culpa es de nosotros...

—Claro que sí. —María se expresaba con vehemencia—. ¿Te acuerdas del amigo de Font? Manuel nos dio la entretenida, y ya ves. Tal día hizo un año.

Era la eterna conversación del bar de Tano, y también Miguel parecía rejuvenecido y observaba a Luciano con ojos brillantes.

—¿Cuánto tiempo te quedas, Bruno? —preguntó María.

—Dos semanas.

—El domingo próximo iremos de caza —dijo Miguel—. Ven a buscarnos a las seis con los perros.

—¿Recuerdas la última vez que fuimos juntos? —dijo Luciano.

—Sí.

—Era en tiempo de robellones, a fines de octubre o primeros de noviembre. Armando llenó un morral él solo y, después, nos emborrachamos en los pinos.

—Éramos felices entonces.

—Sí —murmuró Miguel con voz velada—. Éramos felices.

A la hora de comer, Mara dijo que había pasado la

140

mañana más deliciosa de su vida. «En cuanto os fuisteis subí al chicharrero y he tomado el sol desnuda durante cuatro horas. No sé si lo habéis probado alguna vez. De ahora en adelante, creo que lo haré siempre.» Como Miguel callaba, agregó que la compañía de los hombres la aburría. «En la playa continuamente tropiezas con algún imbécil que te mira o que se empeña en darte conversación. Es una profanación absurda.»

Álvaro y Luis habían ido a acechar a Lolita mientras regaba en los secanos y, arrellanados en las butacas de la galería, hablaban con entusiasmo de sus corvas robustas y su contacto profundo con la tierra y las cosas.

—Lolita y sus hermanas han captado la verdad de la vida —dijo Álvaro—. Su trabajo les permite realizarse en su totalidad.

—Nosotros somos contingentes —dijo Luis—. Por el contrario, cada gesto de ellas revela la esencia del mundo. Es absolutamente necesario.

—Contingentes o no, se cambiarían de buena gana con nosotros —dijo Miguel.

—Sí —intervino Mara—. ¿Por qué no dais al callo como ellas?

—Porque sería una decisión intelectual y, por tanto, falsa. No se puede comprender y ser al mismo tiempo.

—Los intelectuales operamos en el vacío —dijo Luis—. Ellas existen y no lo saben.

—Explícaselo a los obreros —dijo Miguel—. Ustedes ganan cincuenta pesetas diarias, pero son esenciales y, nosotros, aunque parezcamos ricos, somos contingentes. Verás qué te contestan.

Álvaro dijo que los obreros tampoco vivían en contacto con la tierra y la discusión degeneró en una controversia respecto a los méritos comparados del campo y la ciudad. Al final, todos estábamos hartos y Mara me propuso dar un paseo.

—Hay que aprovechar bien el sol. Damiana ha dicho

que el cielo va a cubrirse.

Subimos por el atajo de la carretera, a la sombra de los alcornoques y, de improviso, Mara se detuvo e inclinó la cabeza.

—Tengo que confesarte algo terrible —dijo. Su rostro parecía compungido, pero, bajo sus hermosas y sombreadas pestañas, los ojos le relucían con malicia—. Oh, no sé por dónde empezar... —Me miraba implorando mi ayuda—. Prométeme que, si te lo digo, no me odiarás.

—Te lo prometo.

—Bueno, te tomo por la palabra... Esta mañana mientras estabas fuera, entré en tu cuarto a buscar la ropa sucia y robé la carta de Régine.

Mara registró los bolsillos de sus tejanos y me la tendió.

—Ten. Aquí está.

La cogí sin saber bien por qué. Ella miraba fijamente el suelo.

—He obrado muy mal, ¿verdad?

—No.

—Sí, he obrado muy mal y sé que te vas a forjar una idea horrible de mí. Pero ya te lo advertí ayer. Cuando veo un sobre dirigido a otra persona no puedo contenerme.

Le aseguré que la curiosidad era algo normal y dije que no la juzgaba.

—Si hablas por cumplido, peor para ti —suspiró ella—. Quiero que mis amigos me acepten como soy, con todos mis defectos. Miguel dice siempre que obligo a todo el mundo a ser sincero conmigo, y es verdad. Por eso se enamoró de mí.

Al otro lado de la carretera, el alcornocal cubría la cresta del monte y nos abrimos paso entre las aulagas. La retama salpicaba la pendiente de manchas amarillas. Las vides empezaban inmediatamente después y, cuando arribamos, un viejo daba una cava a los entreliños. Era Francísco, el viñador, con su rostro de gazapo y sus aladares y, al reconocernos, se quitó la gorra y hablamos de los tiempos en que Miguel, Armando y yo le pillábamos las cepas de moscatel y nos perseguía por el bosque a cantazos.

A la izquierda había una enorme balsa de agua y Mara se sentó junto a la pila. La vista que se abarcaba merecía bien diez minutos de camino. La carretera serpenteaba como un río de piedra y, más lejos, en la besana, Antonio y un niño desconocido vareaban los almendros. Las colinas se trababan suavemente, perfiladas contra el mar. Detrás de nosotros el viento estremecía las viñas, y arranqué un racimo de una verdeja y gusté el asperillo entre los labios.

—No me has dicho qué piensas de la carta —dije rompiendo el silencio.

Mara mordisqueaba un tallo de hinojo y contempló sus manos largo tiempo antes de contestar.

—No sé —murmuró—. Me parece que a tu amiga le agrada escribir bien. Al leer la carta tenía la impresión de que la había redactado varias veces, como una composición.

Protesté y dije que en Francia todos los bachilleres escribían así.

—Es posible —admitió ella—. ¿Qué clase de mujer es? ¿Emotiva? ¿Intelectual? Anda, explícame... Ya sabes que cuanto te atañe me interesa.

Mara me observaba con intensidad, como si esperara algo infinitamente precioso de mí.

—No, no me contestes —dijo de pronto—. Te estoy forzando y debes resistirme. Sólo te pido una cosa. Enséñame su foto. Es angustioso hablar de una persona sin haber visto siquiera qué cara tiene.

Le mostré un retrato de los dos en Les Graus du Roi y me apresuré a decir que al natural era mucho mejor.

—Es muy guapa —dijo Mara al cabo de unos segundos—. Claro que un castigador como tú debe de tener un harén al alcance de la mano, ¿no es cierto? Oh, sí, a lo menos no lo niegues. Los hombres sois de una coquetería insoportable.

Dora y Jorge volvieron poco antes de cenar. Estaba en mi habitación, leyendo la carta de Régine que José acababa de traer del pueblo, y percibí susurros y pasos en el pasillo. Eran Jorge y Mara, y ella se llevó el índice a los labios y me hizo señal de venir. Jorge refirió que había encontrado a Dora deshecha después de la visita y le obligó a beber varios cuba-libres para entonarla. Ahora andaba un poco borracha, pero mucho más tranquila.

—¿Por qué? —dije—. ¿Qué ha ocurrido?

—Parece que Armando estaba de mal humor y, ya sabes cómo es ella, en seguida se ahoga. Cuando llegué lloraba como una desesperada y hablaba de suicidarse. Luego hemos discutido y la he logrado convencer de que todo era una estratagema de Armando para atraer la atención sobre él. Le he dicho que Armando es muy celoso y sufre de la separación y, ahora, está casi optimista. Si os pregunta algo, no metáis la pata. Procurad calmarla también.

Dora se empolvaba la cara tumbada en un diván de la galería y examinaba con Álvaro la posibilidad de adaptar una obra teatral de Brecht. Antes de la visita había ido a ver una colección de mascarillas de estilo azteca y se proponía enseñarlas al decorador. «Son completamente primitivas, ¿comprendes? Con unos trazos muy simples y colores sobrios. Se adaptarían bien al vestuario, ¿no te parece?» Álvaro dijo que la interpretación debía ser ascética. Luis repuso que el proyecto del decorador no lo era y hubo una breve discusión acerca de quién sería preciso sacrificar. En un rincón, Miguel fumaba mirando al techo.

Luego, a la hora del café, Dora salió a la terraza y me explicó la visita, tal y como la había interpretado Jorge.

—Armando es un pillo y me puso la cara larga para hacerme sufrir. Yo me daba perfectamente cuenta de su truco, pero soy tan idiota que, al salir, eché a perder media docena de pañuelos...

Hablaba con volubilidad y añadió que lo había encontrado desmejorado respecto a la última vez que lo vio.

—Por cierto, cuando me iba le dije hasta pronto y él me contestó adiós... ¿Tú qué crees que significa?

—No sé —repuse—. Probablemente nada.

—Dijo adiós, como si no hubiera de volverme a ver... Después he ido dándole vueltas y pienso que lo ha dicho para inquietarme, ¿no te parece?

—A lo mejor le salió sin pensarlo.

—No, no —insistió ella—. Le conoces poco. Estoy segura de que lo ha hecho expresamente.

La voz grave de Bessie Smith salmodiaba *Any woman's Blues* en la galería y, antes de irme a dormir, la escuché a solas, acodado en la barandilla del puente, con la vista fija en las constelaciones de mi infancia que —al escampar las nubes— bordaban de nuevo el cielo sobre los eucaliptos. Mientras nos despedíamos —todo el mundo tenía sueño aquella noche— entregué a Mara la carta de Régine.

—Gracias —dijo ella con una sonrisa—. Veo que empiezas a conocerme.

La mañana siguiente, aprovechando un viaje de Álvaro, decidí pasar el día en Barcelona. Miguel quería que fuese con él al pueblo, pero Mara se interpuso y dijo: «Bruno debe de tener alguna amiga allí. ¿No ves que le estropeas el plan?»

Era la pura verdad, en tanto que dejábamos atrás los pueblos grises de la costa, dije que las mujeres poseían una curiosa facultad de adivinación.

—Adivinas no son —repuso Álvaro—. Lo que ocurre es que piensan continuamente en nosotros y siempre nos sorprenden.

Mi amiga se llamaba Gloria y habíamos vivido juntos unos meses en un hotel de Montparnasse antes de que yo conociera a Régine. Gloria había ido a París con una beca del Instituto Francés y, desde su regreso a Barcelona, apenas sabía de ella. Alguien me dijo que desbarató un antiguo noviazgo y se ganaba la vida escribiendo artículos para una revista de modas.

Cuando la telefoneé manifestó su regocijo lanzando gritos de niña y propuso que fuéramos a bañarnos a la Barceloneta. A la hora fijada, se presentó en la terraza del Cosmos con unos pantalones listados y una blusa muy llamativa. Gloria no era exactamente guapa, pero daba golpe. Se había teñido el pelo de rubio y ocultaba sus ojos tras unas gafas oscuras, de forma complicada, que me reflejaban como un espejo.

—Al fin una bocanada de aire de París —dijo—. ¡Si supieras cómo me aburro!

Tendida en una toalla de colores vistosos (Gloria llevaba un bolso playero cargado de aceites y revistas francesas y hasta un minúsculo transistor) me explicó que sobrellevaba una existencia mediocre y provinciana y dijo mil pestes de Barcelona y su trabajo. «Es que no das con nadie potable, te lo juro. En cuanto pueda me iré a París, aunque sea como beibisistter.»

Yo me arrepentía ya de haberla llamado e, instalados los dos faz a faz en un merendero, Gloria me cogió la mano y dijo: «Por favor, hablemos en francés.»

No tuve otro remedio que obedecerla y, cuando el mozo vino a anotar los encargos, advertí que ponía acento y comprendí que quería venderse por extranjera.

—C'est drôle —decía—. Je crois rêver.

De vuelta al Mas —Gloria me invitó finalmente a su estudio y dormí con ella hasta el anochecer— Mara y Jorge tomaban el fresco en la terraza y ella se me colgó del brazo y me condujo hacia los eucaliptos.

—Hala, cuenta —dijo—. ¿Qué tal ha ido tu incursión? ¿Has obtenido lo que querías?

Resumí mi jornada con Gloria y rió excitadamente. Cuando Miguel vino a anunciarnos que había servido el aperitivo en la galería, Mara palmeó de contento.

—Bruno es un seductor. Lo calé desde el primer día: este tío no deja títere con cabeza. Anda, repite a Miguel lo que me has dicho. Es una historia formidable.

—Las historias de fornicación no me interesan —dijo Miguel con cierta sequedad.

—Eso lo sé yo desde hace tiempo —repuso ella—. No es necesario que lo campanees.

El repique se redujo a esto, pero observé que Mara parecía furiosa y, durante la cena, ninguno de los dos dijo palabra.

En el solejar, en un momento en que los otros nadaban, Mara rompió por primera vez el silencio.

—Ayer noche, cuando todo el mundo dormía, te escribí una carta kilométrica —dijo—. Luego me arrepentí y la quemé.

—¿Una carta? ¿Por qué?

—No lo sé. Me sentía deprimida, sola. Con la sensación de no auxiliar a nadie, de agotarme en esfuerzos inútiles... Quería hacerte una proposición de amistad.

—Somos amigos ya, Mara.

—No, no me entiendes. Deseaba preguntarte si podía contar contigo. Yo sé que los hombres resbaláis sobre las cosas, pero me da igual. Tú no imaginas lo que es bregar siempre ' sola. Mis amigos me creen muy fuerte porque Miguel me obliga a serlo, pero, en algunas ocasiones, te juro que no puedo aguantar mi papel. Estoy cansada de vivir entre seres más débiles que yo. Hay días en que pagaría cualquier cosa por una ayuda, un hombre en el que apoyarme...

Mara hablaba con la vista fija en el suelo e hizo escurrir un puñado de arena entre las manos. En el madroño, las abejas zumbaban monótonamente.

—Miguel está enamorado de mí y no precisa nadie más. Le basta vivir a solas conmigo y no entiende que, aunque yo le quiera, a veces me canse de sostenerle y necesite algún ser maduro que se haga cargo de mí y me asuma totalmente, como le asumo yo...

Mara calló, como si aguardara una intervención mía. En el estanque, Jorge perneaba levantando espuma; las salpicaduras llegaban hasta nosotros.

—En realidad, lo que te he dicho no tiene ninguna importancia. Olvídalo. Todos pasamos baches difíciles y terminamos cayendo de pie, como los gatos.

Miguel venía por el camino envuelto en un albornoz azul e interrumpimos la conversación. Yo pensaba que, después de comer, saldríamos los dos a dar un paseo, pero Mara dijo que iba a dormir la siesta con Miguel y se encerraron en su cuarto. Cuando salieron, habían transcurrido más de dos horas y Mara tenía aún las mejillas encendidas y parecía de excelente humor.

—Estábamos en la galería oyendo las canciones de Marlene y Miguel se tumbó en un sofá y dijo que la siesta y el vino eran las invenciones más progresistas del mundo. Mara se había sentado junto a él y le pasaba la mano por los cabellos.

—Guarros —exclamó Luis—. ¿Queréis hacer el favor de comportaros honestamente?

Dora sonreía y dijo que Armando y ella se acariciaban también así. Su intervención sacó de tino a Miguel.

—¡Por lo que más quieras! —gritó—. ¿No puedes tener una idea general?

Los nublados oscurecían el cielo y fui a la habitación a escribir a Régine. Al terminar, no había absolutamente nadie en la galería. Lolita fregaba los platos en la cocina y le pedí una coca-cola con el exclusivo propósito de ver cómo se inclinaba sobre la corchera y admirar la forma generosa de sus muslos.

—Va a llover —dijo señalando hacia la ventana—. Cada vez que el viento viene del Norte, lluvia.

Por el momento, las nubes se condensaban tras la montaña, pero las golondrinas rastreaban el suelo y la sospechosa quietud del aire anunciaba la proximidad de la tormenta. Luis arrojaba guijarros en el estanque y me dijo que Mara y los otros habían ido al pueblo a comprar provisiones. Las piedras saltaban varias veces sobre la lumbre del agua, antes de hundirse definitivamente y desaparecer. Al fin, Luis pareció cansarse del juego y hundió las manos en los bolsillos.

—Estoy hecho polvo —dijo.

Pregunté por qué y me contestó: «A causa de Lolita. Creo que estoy enamorado de ella y no sé cómo explicárselo. Ayer la espié mientras se besaba con el novio y no he pegado un ojo en toda la noche. ¿Has estado celoso alguna vez?» Dije que sí y me miró lleno de agradecimiento. «La vida que llevo me aperrea, ¿comprendes? En Ginebra me acostaba cada día con una chica distinta, pero nunca me he enamorado de verdad. Lolita es una mujer moralmente sana. Te juro que ahora mismo me casaba con ella.»

Subimos a pasear por el bosque y, mientras caminábamos, me pidió consejo respecto a la manera de franquearse.

—Cuando la veo no sé qué decirle... Me siento como un niño de doce años.

Le repuse que efectivamente lo era, pero no me quiso oír.

—¿Crees que está enamorada de su novio? —preguntó.

—Si festeja con él, por algo será.

—Yo no lo llego a creer. ¿Has topado con él alguna vez? No te niego que sea fuerte, hace dos como yo, pero mírale la cara. No tiene ni un dedo de frente. No es posible que le quiera. Estoy seguro de que es un tinglado de las familias.

El Dofín regresó al atardecer. Luis y yo discutíamos todavía en el jardín y Dora señaló el vuelo terrero de las aves.

—¿Habéis visto?

—Será mejor que guardemos los sillones en la galería —sugirió Mara.

La ventola alborotaba las ramas de los eucaliptos y, al poco de entrar, hubo un chispazo seguido de un trueno violentísimo y empezaron a caer las primeras gotas. El turbión venía del monte como una inmensa cortina de agua. Los pájaros revoloteaban enloquecidos y, bruscamente, Mara se precipitó al jardín, mientras la lluvia azotaba los cristales y los relámpagos afogonaban el cielo. Al cabo de unos minutos, volvió completamente empapada. «Dan ganas de lanzar el grito de Tarzán, dijo. ¿Quién quiere venir a remojarse?» Nadie contestó y, después de ponernos de burgueses y mujercitas, terminó por irse a mudar a la habitación.

Más tarde la lluvia se transformó en granizo. La tormenta había encharcado la terraza y el agua corría impetuosamente arroyo abajo. La pedrea acantaleaba los ventanales como una salva de perdigones. A las nueve cortaron la electricidad y cenamos a la luz de los candiles. Miguel y Mara discutieron ásperamente a propósito de una botella mal descorchada. El Castell del Remey se bebía sin que se diera uno cuenta y concluímos la velada algo borrachos, recitando poemas y canciones en la penumbra de la galería.

La tronada duró hasta muy avanzada la noche. Arrebujado en las sábanas, escuchaba el ruido del viento y, en dos o tres ocasiones, una sacudida súbita —como el chasquido de una caña seca al troncharse— me advirtió con unos segundos de anticipación —antes de que los gruesos muros temblaran— de que había caído una chispa en el pararrayos. Cuando éramos chicos, Miguel y yo subíamos al desván, pero aquella vez no pude evitar un repente de miedo. Fuera, llovía a manta de Dios y el Mas parecía endeble frente a la violencia de la tempestad. A las tres y pico oí portear una ventana. Luego, alguno se levantó a cerrarla —una vela iluminó de modo fugaz el pasillo— y, finalmente, me dormí.

Pasada la tormenta, el cielo es más azul que nunca y el

aire da la impresión de ser más limpio y transparente. Al levantarme, el sol lucía en la terraza y los pájaros piaban, repuestos ya de su espanto nocturno. El suelo olía intensamente. Mientras daba la vuelta a la casa tropecé con José. Llevaba una azada al hombro y lo acompañé hacia el barranco.

—El granizo ese es más malo que la peste —dijo—. Tres bancales de lechuga que sembré; ¡todo a la mierda!

El agua había abierto quiebras en el fresal y la tierra de los carcavones orillaba el lecho del torrente. José me enseñó los derrubios amontonados junto al talud. Los huertos bajíos estaban anegados también y, remangándose los pantalones hasta la rodilla, comenzó a desaguazarlos con la azada.

—¡Qué vida! —exclamó—. Uno no puede confiarse ni un segundo. A la que te descuidas, cuerno.

Dora se desayunaba en el jardín con los chicos. Mara había ido a buscar el correo al pueblo y encontré una nueva carta de Régine. Había, además, una postal en colores con una vista de Barcelona tomada desde el Tibidabo.

«Querido Bruno:

»Rescátame de este desierto de tedio. Quiero conocer gente nueva, lugares interesantes. *Je suis plus découragée que jamais.*

GLORIA.»

Dora había soñado en que Armando y ella vivían en un piso inundado y quiso conocer nuestra interpretación personal del sueño. Le dije que era consecuencia lógica de la turbonada de la víspera, pero no la convencí. «No, no, repuso. Lo he soñado ya varias veces; estoy segura de que significa algo.» Álvaro soltó un discurso acerca de Freud y el psicoanálisis y, cuando Lolita vino a recoger la bandeja, observé que Luis enrojecía y esquivaba la mirada.

Mientras me afeitaba, Miguel y Mara riñeron en su dormitorio. Empezaba a acostumbrarme a sus disputas y cerré la puerta. Tras un intercambio de réplicas más breves que los otros, Miguel se fue de rondón. Jorge se enjabonaba las manos en el lavabo y explicó que Miguel había recibido una oferta muy ventajosa de una universidad americana. «Le proponen un contrato de seis meses por un cursillo sobre los erasmistas, dijo. Mara quiere que acepte.»

A media mañana, todos —excepto Miguel— subimos a bañarnos al estanque. El agua estaba cubierta de bellotas y agujas de pino, arrojadas allí por el vendaval. Mara se tendió a mi lado entre los cantuesos y me preguntó cuándo iba a Barcelona.

—¿A Barcelona? —dije—. ¿Por qué?

—Los hombres tenéis el corazón de piedra. ¿No has leído la postal de tu amiga? La infeliz se consume sin ti. Me gustaría saber qué filtro das a las mujeres para enloquecerlas de este modo...

Le dije que Gloria se aburría y corría detrás de todo el mundo con la esperanza de pescar algún incauto.

—Sois terribles —suspiró Mara—. En cuanto obtenéis lo que queréis de una mujer, la ponéis en seguida hecha un trapo. ¿Qué te cuesta ir a verla unas horas? Total, por lo que vas a hacer con ella... Tampoco es un esfuerzo tan grande.

Mara hablaba con fingida cólera y se incorporó, sujetando el sostén con las manos.

—Tienes que ayudarme, Bruno —dijo—. No quiero que los demás me vean de mal humor y bromeo y me río de mí misma; pero sé que tú me comprendes... Te aseguro que no puedo más.

Me mostró la carta de la Universidad de Berkeley y explicó que Miguel se negaba a contestar.

—¿Por qué? —dije—. ¿Le robaría mucho tiempo?

—No, no es eso. Se ha acostumbrado a que yo apechugue con todas las dificultades y la idea de salir de su querencia le espanta. Desde hace un año ha rechazado más de cuatro puestos en el extranjero. Los americanos porque son americanos. Los católicos porque son católicos. Los protestantes porque son protestantes. Siempre encuentra algún pretexto para mentirse a sí mismo y a los demás. En realidad tiene miedo.

—¿Qué puedo hacer yo, Mara?

—No sé. Tú eres un hombre y te escuchará. Dile que no es posible vivir así, eludiendo las responsabilidades. Hay que hacer un esfuerzo por los demás, acomodarse un poco a la vida... Cuando le conocí se interesaba en las cosas, le agradaba hablar... Ahora no se mueve de su refugio... Comer, dormir la siesta, leer sus diccionarios latinos... Cuanto menos quiere a la gente, más se apasiona por las palabras.

El sol doraba su cuerpo moreno y me zambullí con ella en el estanque. La temperatura del agua había enfriado algo desde la víspera. Braceé rápidamente hasta el otro extremo y volví a la solanera. Luego me froté el cuerpo con la toalla y subí al desván a ver a Miguel.

—Quería hablarte —dije.

Él fumaba tumbado en el jergón y arqueó las cejas con ironía.

—Estoy a su disposición, Padre.

Lo dijo burlonamente, pero no reí. También yo echaba de menos nuestras viejas conversaciones, la perdida intimidad de antes.

—No deseo meterme en tus asuntos, pero tú me fuerzas con tu silencio. ¿Te das cuenta? Desde que he llegado, no hemos tenido un solo momento de sinceridad. Vivimos como dos extraños.

—Veo que has hablado con Mara —dijo—. ¿Lloró mucho?

—Llorado o no, poco importa... Cuando te escribí preguntando si podía venir, lo hice porque tenía ganas de estar contigo. Hoy cumple cuatro días que paro aquí y todavía no sé qué coño hago. Si por un motivo u otro no te agrada mi presencia, dilo y me iré en seguida. Pero no me trates más como un invitado.

Miguel aplastó la colilla en el suelo y se volvió hasta quedar de perfil. Su voz surgió ronca, demudada.

—He perdido la alegría, Bruno. Lo descubrí un día de pronto, y no hay remedio. No sé cómo tengo fuerzas para aguantar...

Miguel había clavado la vista en el ventano y su rostro se endureció otra vez. Hubo una breve pausa.

—Mara se empeña en que dé unos cursillos en Estados Unidos, pero es absurdo. Para embarcarse en estas historias es necesario creer en ellas...

—¿Qué vas a hacer, entonces?

—Nada. —Los ojos de Miguel brillaban de un modo indefinible y comprendí que me rechazaba de nuevo—. ¿Recuerdas los libros de Dale Carnegie? Yo he hallado también mi lema: FÓRJESE USTED MISMO UNA OSCURA SITUACIÓN SIN PORVENIR. ¿Qué te parece?

—Siniestro —dije.

—A mí me encanta. Lo voy a grabar en mi puerta, para las visitas. Así me dejarán en paz.

Mi tentativa no llegó a más. Durante el resto de la semana Miguel apenas salió del Antro y la tensión disminuyó. Jorge preparaba su tesis en un rincón de la galería y, por las tardes, salía de paseo con Mara. Dora calculaba diariamente el número de horas que faltaba para visitar a Armando. Los sentimientos amorosos de Luis acaparaban el interés de nuestras conversaciones. Álvaro realizaba frecuentes visitas a su familia con el Seat y, una noche, me fui a dormir a Barcelona con Gloria. Cuando volvimos, Mara tomaba el sol junto al estanque. Dora y Jorge discutían acerca de Lolita, y Mara batió las palmas con regocijo y quiso saber qué tal lo había pasado.

—¿Fue todo bien? Anda, cuéntame.

Dije que no había nada que contar, pero ella me observaba con un mohín de disgusto y preguntó si había alcan-

154

zado mis objetivos.

—Naturalmente —dije.

—Los hombres sois la vanidad misma. Oyéndote hablar, cualquiera diría que las mujeres hacen cola para ir contigo. ¡Hijo, no será para tanto!

Mara sonreía burlonamente y, mientras bebíamos el Perelada en el jardín, explicó a Miguel que mi clientela femenina crecía sin cesar y, al parecer, se mostraba sumamente satisfecha de mis servicios.

—Me están entrando ganas de probar también —añadió.

Era un día de mucho sol y, después de comer, fui a descansar a mi cuarto. Cuando desperté, el reloj marcaba las seis. El calor, el rijo de la siesta me habían aturdido y subí a bañarme al estanque. Mara nadaba y me saludó con la mano.

—Está divina —dijo—. En mi vida he disfrutado tanto.

Me chapucé desde la palanca y, al emerger, vi que Mara trepaba por la escalerilla y se ponía el calzón del bañador. Al cabo de unos minutos —la tibieza del agua invitaba al torpor y al abandono— me reuní con ella en el solejar. Mara se había tendido boca arriba y cruzó los brazos sobre sus pechos.

—Por favor —dijo—. Prométeme que cerrarás los ojos.

La obedecí y me acosté entre las jaras. El sol me lamía suavemente los párpados y escuché —adormilado— el mosconeo del madroño.

—Jorge ha vuelto a las andadas —suspiró—. Ayer me hizo una declaración en regla, igualita a las que vemos en el cine. Pobrecillo. No sé qué inventar para desengañarle. ¿Crees que debo mostrarme más dura?

—No sé —dije.

—Tú eres un hombre maduro y sabes los puntos que calzas. Él, no. En realidad es un chiquillo y vive en un estado de perpetua exaltación. Figúrate que cuando tenía quince años su madre ya le daba dinero para que fuera con mujeres, a condición de que le contara todo. Está ena-

155

morada de él, es evidente, y le ha desequilibrado a fuerza de mimos.

Dije que Jorge necesitaba volar por sus propias alas, pero ella me cortó.

—No sabe —dijo—. Cada vez que le dejamos solo acumula tontería tras tontería. El mes pasado hubo un apagón de la luz la víspera de su examen y volcó toda la tinta por el suelo y se hirió en la mano con la estilográfica. Es incapaz de prever qué hará un minuto después. Cualquier obstáculo le parece insuperable.

Me había levantado a buscar el albornoz y sorprendí la presencia de Miguel. Instintivamente, Mara se cubrió con la toalla. Miguel nos contemplaba con una vaga sonrisa y, en el denso silencio que acompañó su aparición, tuve la ridícula sensación de ser el marido.

—¿Os estorbo?

—No —murmuró Mara—. Justamente quería avisarte para que te bañaras. —Parecía furiosa consigo misma a causa de su ademán y, haciendo un visible esfuerzo, se quitó la única pieza y se zambulló en el agua.

En los días sucesivos Miguel no comentó jamás el incidente, pero advertí que a menudo hablaba con ironía de mi guapeza y mis virtudes de castigador.

Tal como habíamos convenido, el domingo salimos de caza. Luciano y José vinieron a buscarnos de amanecida y, precedidos por los gemeques y cabriolas de los perros, tomamos el camino de la castañeda. Era como si el calendario hubiera dado un salto atrás. Luciano abría la marcha con la escopeta bajo el brazo y hasta Miguel parecía dichoso. Antes de que asomáramos el arcaduz, las perdices trasvolaron el torrente. El sol emergía entre las encinas y José evocó los tiempos en que Armando convidaba a los mozos del pueblo y nos juntábamos en la fuente a tostar castañas.

—La culpa es tuya, Bruno —dijo—. Desde que te fuiste andamos desperdigados.

—¿Y Miguel? —dije—. ¿Por qué no os invita?

—¿No conoces el refrán? —preguntó José—. *Home casat, burro espatllat.* Aquí lo sabe todo el mundo.

Los perros remontaban las liebres y les oímos hipar por la ladera. Miguel caminaba a mi lado y, de improviso, se echó la escopeta a la cara y tiró dos veces a una torcaz. El rebufo me dejó momentáneamente sordo y, como en mi adolescencia, admiré su vista de lince y la infalibilidad de sus reflejos. El pájaro aleteaba malherido. Luciano tiró también, pero marró el disparo. La torcaz había ido perdiendo altura y al fin cayó entre la breña y los perros se enzarzaron a buscarla.

—Continuemos hacia arriba —dijo José—. Seguramente hay otras.

Miguel aguardó a cobrar la pieza y nos embocamos por la vaguada. Los perros rastreaban con la lengua fuera, siguiendo misteriosas pistas. La vegetación del torrente impedía ver y subimos a trancos por la labrada, en dirección a los pinos. Allí el paisaje había mudado un tanto. Las agraceras verdeaban en la pendiente y los vástagos cubrían el toconal. Cuando los perros localizaron una liebre desplegamos en abanico. José y Miguel repechaban la cuesta corriendo y oí varios escopetazos. Hacía muchos años que no me sentía tan feliz. Los nísperos comenzaban a madurar y el amarillo de los trigos anunciaba la vecindad de´la siega. Las ranas croaban en alguna balsa. Tenía ganas de gritar a Miguel que su desesperación era estúpida y tumbarme con él en el rastrojo, a contemplar el cielo sin nubes y el ir y venir de los pájaros.

Miguel y José volvieron con dos liebres y, para explorar bien el monte, decidimos que nos separaríamos. Luciano y Miguel trocharon por el atajo de la izquierda, mientras José y yo tomábamos el camino de carro que llevaba a las masías del otro lado de la montaña, y nos citamos en la cima. José cargaba las tres piezas en el morral y dijo que debíamos andar con tiento a causa de los civiles. A medida que subíamos se abarcaba mejor la panorámica, recostados ante el mar azul. Una diminuta recua de acémilas seguía el caprichoso dibujo de la carretera y, bajo el pino, la chimenea del Mas humeaba. El silencio era tan hondo que se oía el resuello lejano de la locomotora del ferrocarril.

Durante mi ausencia el bosque había ardido varias veces y nos desviamos hacia el interior, bordeando la chamicera. Castaños, encinas, pinos, amadrinaban sus verdes, aferrados al flanco de la montaña. Cruzábamos tierra de setas y lamenté que no fuera tiempo de robellones. Pasada la primera masía, el musgo ceñía el tronco de las encinas y escuchamos el eco de unos hachazos. En la orilla del camino había mogotes de leña. José se internó en la espesura y, a los pocos minutos, vinimos a parar a un llano sembrado de maíz. José me mostró la hozadura de un jabalí y continuamos a campo traviesa entre las panojas, andando a paso tirado.

El paisaje del interior era muy distinto del otro. Los bosques se sucedían a pérdida de vista monótonos y verdes. Únicamente las masías ponían una nota de color.

Los carboneros quemaban hornija en un calvero y nos aproximamos a su rancho. Durante unos instantes, José pegó la hebra con un mozallón moreno, de pelo rizado y cara angulosa picada de viruelas, que los otros llamaban «el Virrey». El gañán hablaba con fuerte acento andaluz y, aunque sonreía, su mirada tenía destellos de dureza. Cuando nos alejamos, José explicó que era el amante de la mujer de Jordi: «Un tipo de cuidado, agregó. Por menos de nada, saca la navaja del bolsillo.»

Luciano y Miguel nos esperaban en la muela. Miguel había cobrado una perdiz más y tocado otra y bebía de la bota de Luciano con una expresión febril de alegría.

—Hala, arrimad también —dijo—. Es domingo; tenemos que emborracharnos.

Al tocarme el turno empiné el codo, pero el tastillo

avinagrado del vino me desagradó. Miguel parecía algo achispado y, bruscamente, se encaró conmigo.

—Anda, ¿qué aguardas? —dijo con voz ronca—. ¿Necesitas mujeres para embriagarte?

Sentí que la sangre me afluía a las mejillas y bebí de la bota para disimularlo. José distribuía el almuerzo a la ronda. Había bocadillos de pan con chorizo, sobrasada y tomate y, con la boca llena, Luciano preguntó si en adelante volvería al Mas con mayor frecuencia. Dije que no, que aquella era mi despedida y, cuando alcé la vista, descubrí que Miguel tenía los ojos llenos de lágrimas.

—Bah —dijo José. Ni Luciano ni él lo habían advertido—. Cuando uno quiere una tierra, no la deja así como así. Apuesto algo a que ahora vienes todos los años.

A la hora de comer estábamos en el Mas y José enseñó los trofeos. «Hay que felicitar a Miguel, dijo. Si alguno riñe con él a tiro limpio no le arriendo la ganancia.»

En la terraza, el viento había amainado. Mara volvía de acostar al niño y corrió hacia nosotros: «Al fin mis dos queridos... Si supierais qué sola me sentía... Tenía la impresión de ser una muchacha cuyo novio ha ido a la guerra!...» Lolita trajo dos botellas de clarete y nos sentamos alrededor de la mesa de mármol. El picú difundía la voz de Bessie Smith interpretando *Saint Louis Blues*. Mientras bebíamos, Luciano se metió conmigo y, tomando por testigos a los demás, dijo que debía comprometerme a regresar durante el otoño.

—Como no te descuelgues a coger setas, te juro que no vuelvo a saludarte.

Mara dijo que no retornaría a menos que una mujer me atrajese de nuevo.

—Tendremos que buscarle una bella campesina —suspiró.

—¿La tierra no te basta? —preguntó Luciano.

—Bruno es débil y las francesas lo secuestrarán. Sólo el amor puede salvarle.

Debía carta a Régine desde hacía tres días, pero el cansancio fue más fuerte que yo y, después de comer, dormí hasta las seis de una acostada. Al levantarme, Dora, Jorge y Luis bebían café en la galería. Dora se había vestido a la moda de mil novecientos veinticinco —collares de perlas y flequillo corto— y me observó con sus ojos descoloridos e inmensos.

—Acabamos de fundar el Club de los Desesperados —dijo—. ¿Quieres formar parte?

Le repuse que jamás había sido tan feliz, pero Jorge protestó y se empeñó en explicarme las reglas del juego.

—Nos intoxicamos bebiendo café. Esta es la sexta taza. El primero que ría, pierde.

Estuve a punto de decirles que había cosas más importantes en que ocuparse; por una razón oscura, me contuve. En el jardín, un mirlo revoloteaba encima de los eucaliptos y terminó por posarse en la lomera del tejado. Álvaro leía sentado en el banco del cenador.

—Están locos —dijo—. Todo el mundo anda loco en esta casa.

Refirió que Miguel atravesaba uno de sus humores nebulosos y se había encerrado en el Antro.

—¿Y Mara? —dije.

—Salió con el niño, a rastrillar el bosque. Miguel y ella han tenido una pelotera, ¿no has oído?

—No.

—Fue después del café, mientras charlábamos...

—¿Por qué?

—Pregúntaselo tú. Yo he renunciado a comprender desde hace tiempo.

Seguí su consejo y eché a andar por el alcornocal hasta dar con ella. Mara recogía la hojarasca en un cesto mientras el niño jugaba con las bellotas. Al verme, me miró con frialdad.

—¿A quién buscas? —dijo.

Le repetí mi conversación con Álvaro y pregunté por

qué había reñido con Miguel.

—¿Ha sido por mi culpa?

—¿Por tu culpa? —Mara me contempló como si desbarrara—. Al revés, precisamente me ha hablado bien de ti. Creo que eres una de las pocas personas que quiere a su modo, si es que realmente quiere a alguien. No, no ha sido por ti. Ha sido a causa de Dora.

Mara cesó de rastrillar y se apoyó en el tronco de un alcornoque.

—No es que yo tome partido por las mujeres por principio, entiéndeme, y, si me pinchas, te diré que su manera de querer a Armando también me fastidia. Dora es una de esas personas que, cuando se enamora de alguien, no lo deja a sol ni a sombra... Pero, hijo, el Miguelito a veces pasa de raya.

Nos encaminamos hacia la fuente. Mara llevaba al niño de la mano y, por espacio de unos instantes, los dos guardamos silencio.

—Miguel atraviesa un mal momento y debes ayudarle.

—¿Crees que le ayudo? —dije—. Desde la otra tarde me parece que me mira mal. Lo siento al acecho, como si estuviera celoso de mí...

—Miguel tiene celos de todo el mundo —suspiró—. Sus relaciones con los hombres son siempre morbosas. Por eso forcejeo continuamente con él. Hay que impedir que se abandone.

Le conté la escena de la mañana y añadí que pensaba seriamente en marcharme.

—Estás loco —dijo Mara—. Los hombres os decís cosas que nunca confesáis delante de las mujeres. Tú no eres una criatura como los otros. Contigo, Miguel puede confiarse. Si lo dejas, está perdido.

—He intentado hablarle docenas de veces. Te juro que es inútil.

—Los hombres os comprendéis sin necesidad de palabras —arguyó Mara—. Precisamente por eso me entiendo

161

mejor con mis amigos que con mis amigas. A mí me gustaría tener una amiga de verdad y discutir con ella como ahora discutimos tú y yo, pero no he dado con ninguna. Las mujeres no paran de hablar de ellas... A su lado, una no puede estar jamás sola...

Cuando regresamos, anochecía. Mara había recuperado su buen humor y el niño caminaba junto a ella, absorto en un monólogo secreto. La borrachera de café había acabado mal. Luis se reponía en su dormitorio y Dora tomaba pastillas para calmarse. Con el pelo sobre la frente, Jorge parecía aún más joven de lo que era. Al verme, se me colgó del brazo y me arrastró hacia el jardín.

—Estoy harto —dijo—. Todos llevamos una vida embrutecedora. No creas que hago tonterías porque sí. Únicamente trato de ser lúcido...

—Beber quince tazas de café no conduce a nada —repuse.

—Nada conduce a nada. Mira Miguel. Vale más que cualquiera de nosotros y sabotea su propia vida. Si tuviéramos coraje como él, deberíamos hacer otro tanto.

Le hablé de Armando, pero movió obstinadamente la cabeza. En realidad, ni él mismo tomaba en serio sus palabras y, a la primera ocasión, le di el quiebro y me fui a la habitación a escribir a Régine.

El día de la visita, Dora, Miguel y Mara salieron después de comer en el Dofín y, como era víspera de San Juan, nos citamos a las nueve en un café de las Ramblas. Luis había matado la tarde acechando las idas y venidas de Lolita. Durante el viaje anunció solemnemente que quería emborracharse para olvidar. Al llegar a Barcelona, Álvaro telefoneó a unos amigos de Ginebra. Los fuegos teñían el cielo de una fosforescencia rojiza. La plaza Real estaba de bote en bote y nos sentamos a beber en el Glaciar.

La verbena me traía a la memoria infinidad de recuerdos. Bajo las arcadas circulaba una humanidad compacta de mujeres tocadas con gorritos de papel y hombres en mangas de camisa, sudados y rijosos. Los mozos corrían con trompetillas, pitos y carracas. Algunos se arrimaban a las chicas y les arrojaban petardos a las piernas. La gente parecía poseída del delirio del ruido. Los cohetes estallaban ininterrumpidamente y hasta los automovilistas que buscaban un hueco para estacionarse sonaban frenéticamente el claxon.

Miguel nos aguardaba en el Venezuela. Nos presentamos con un retraso de media hora y, por lo abultado de sus ojeras, adiviné que Dora había llorado. Mara dijo que Armando seguía bien y con muchos ánimos e, inopinadamente, se volvió hacia mí y preguntó si había telefoneado a Gloria.

—¿A Gloria? —dije—. ¿Por qué?

—Los hombres sois realmente unos frescales. La pobrecilla se perece por ti y ni siquiera se te ocurre invitarla.

Dije que la presencia de los demás la intimidaría, pero Mara insistió y no tuve otro remedio que inclinarme.

Gloria estaba en casa y dijo que venía en seguida: «El tiempo de pillar un taxi. Ah, *tu es vraiment charmant.*»

Entre tanto, la pandilla de amigos de Álvaro había irrumpido en el bar: dos estudiantes españolas y un chico de aspecto lánguido, pelo hirsuto y ojos asombrados. Una de las muchachas se había coloreado el pelo de negro azabache y llevaba los labios pintados igual que una putilla. El maquillaje de la otra evocaba una máscara, con una capa espesa de polvos de arroz y dedadas de rimel en los ojos.

—*Je m'apelle Alain* —dijo el chico—. *Je suis né d'une partouze et je suis le mineur le plus détourné de France.*

La del rostro-máscara se llamaba Luci y explicó que Alain y ella habían viajado dos semanas por el Tirol, antes de venir a Barcelona. «Es un país siniestro, dijo. La gente va por la calle con gabardinas ceñidas y sombreros de conspirador. Todo el mundo da la impresión de pertenecer a alguna sociedad secreta.»

Los tres hablaban muy alto y reían fuerte y, contagiados por su ejemplo, Álvaro y Jorge gritaban también. Gloria apareció después con una especie de pijama estampado y me besó en las mejillas. La presenté a los demás y Mara dijo que ardía en deseos de conocerla.

—Bruno me ha hablado tanto de ti... Es como si fuésemos ya amigas.

Resultaba imposible sostener una conversación y nos embocamos por Escudillers entre los vendedores de globos. El gentío cubría totalmente la calzada y, para avanzar, era preciso hacer calle. Dora lloraba de nuevo y me colgué de su brazo. «Vamos, dije, no seas niña.» Tocados con sombreritos cordobeses, Luci y Álvaro discutían delante de nosotros. Con cierta aprensión, comprobé que Gloria charlaba animadamente con Mara.

Antes de llegar a Aviñó, sesgamos por una calleja a la derecha, bajo un diluvio de chispas. Las tascas olían a fritura y se oía la música de los tocadiscos y las palmadas de alguna zambra de gitanos. Jorge asomó la cabeza en dos o tres bares. Finalmente nos decidimos por uno, adornado con toneles inmensos y un larguísimo mostrador lleno de tapas.

Álvaro encargó dos jarras de vino y, cuando nos sentamos, Mara adoptó un semblante cándido y reveló que Gloria estaba escribiendo una novela.

—Una obra de tipo psicológico —dijo.

Hubo un punto de silencio y sorprendí una mirada maligna de Miguel.

—En cierto modo es una autobiografía —confió Gloria.

—¿Puede saberse para quién la escribe usted?

—¿Para quién la escribo?

—Cuando alguien emprende una novela se dirige a un público —dijo Miguel—. Yo le pregunto a qué público se dirige.

—No sé —murmuró Gloria—. No lo he pensado nunca.

—Así, ¿trabaja usted en el vacío? ¿Hace una cosa sin

164

saber por qué? ¡Qué curioso!

—Bueno... —Gloria me miraba implorándome socorro—. En realidad escribo para mí.

—¿Para usted?

—Sí.

—De manera que usted escribe por el placer de leerse... —La cólera había resucitado a Miguel—. Debe de ser algo apasionante, me figuro.

La llegada del vino interrumpió la conversación. Mara conservaba su expresión inocente y cambió una ojeada cómplice con Miguel. La ejecución de Gloria parecía haberle encantado. Álvaro hablaba en francés con sus amigos. Criticaban a la mujer de un tal Carlos, que se suicidaba regularmente con hipnógenos y Dora terció y dijo que conocía unas pastillas que nunca fallaban.

—Te tragas un tubo, y ya está.

—¿De quién habláis? —preguntó Luis.

—Álvaro dice que los suicidas fracasados son unos farsantes —dijo Luci.

—Yo creo que no —repuso Dora—. A veces pueden ser sinceros.

La discusión se prolongó unos minutos —el tiempo de vaciar las dos jarras. Miguel callaba, con la misma desesperación sombría de días atrás en el Antro.

—Si uno tiene ganas de acabar, sube a un décimo piso y se echa abajo en lugar de incordiarnos —dijo bruscamente.

—Yo no podría —dijo Dora—. Es una cuestión de estética.

—¿Estética? ¿Qué carajo tiene que ver la estética con eso? Se trata de quedar para siempre en paz, ¿no?

—Sí señor. Sí tiene que ver. —Dora se expresaba con vehemencia—. Hay que pensar en los otros.

—Si uno piensa en los otros quiere decir que ama la vida.

Dora se defendía como si su propia existencia entrase

en juego y, por un momento, creí que Miguel iba a gritar. Mara intervino para calmarles.

—¿Y si cambiáramos de aires? —propuso—. Aquí me asfixio.

Salimos y, en la calle, Dora lloraba silenciosamente.

—Soy sincera, sincera... Te lo juro por la salud de Armando.

El griterío de los que corrían la verbena ahogaba sus palabras y Mara la enlazó por la cintura.

—No le hagas caso —dijo—. Habla solamente por hablar.

—Es terrible... —Dora observaba fascinada el movimiento de la multitud—. Todos parecen satisfechos de vivir. Nadie sabe lo que ocurre... Dan ganas de despertarles a gritos.

Nos detuvimos a beber en varios bares y Miguel pedía dobles de ginebra y los vaciaba de un latigazo. Gloria había recobrado su aplomo y reía y flirteaba con Alain. La música de los tocadiscos aventaba las voces. El traque de los cohetes llegaba a intervalos desde la calle.

—Vigila a Miguel —me susurró Mara—. No dejes que haga tonterías.

Estaba en la barra, de palique con Jorge, y me acerqué a él.

—¿Por qué no vamos a La Venta? —dije—. La última vez que nos vimos fue allí, ¿te acuerdas?

—Bruno es un sentimental —Miguel se dirgía a Jorge, pero sus pupilas me punzaban con ironía—. Su vida se reduce a una colección de tarjetas postales de color... Antes de consagrarse a las mujeres, se desvivía por los amigos.

—¿Qué amigos? —dijo Jorge.

—Armando, yo, otros... En aquella época los tres aspirábamos a redimir la humanidad, ¿no es verdad, Bruno?

—Sí —repuse.

—Armando ha sido el único consecuente. Bruno y yo queremos a la Humanidad en general, pero no podemos soportar a los hombres... El tiempo nos ha vuelto cínicos.

Nos encaminábamos a La Venta más que a paso y Miguel evocaba los años de inocencia y dijo que las mujeres tenían la culpa.

—Hay que juzgar a la gente por lo que hace —murmuró—. Ellas nos hunden en la psicología.

El decorado del local no había cambiado. Cuando entramos, las chicas del bar palmeaban y un tipo bailaba la gachucha hurtando el cuerpo y gesticulando, como si cada movimiento obedeciese a una lógica imperiosa, a una razón absolutamente necesaria. Al terminar, la dueña me reconoció y vino a abrazarme. Era una rubia baja, fondona, de grandes antebrazos pecosos, cubiertos de pulseras.

—Caray con el Bruno —decía—. ¿Dónde andabas metido, mal bicho?

Dije que me había enganchado en un Banderín de la Legión y aceptó mi explicación sin vacilar.

—Hijo, ¿mataste a alguien?

—Sí.

—¡Eh, niñas! —gritó—. Una ronda de Moriles para mi asesino.

Ella misma tuvo un pujo de risa y se atragantó. Una de las muchachas nos había guiado a la trastienda y, al poco de sentarme, descubrí que estaba borracho. Gloria hablaba a grito herido en francés, orgullosa de pasar por extranjera. El bailarín mariposeaba entre los grupos con su camisola de lunares. Dora miraba alrededor con ojos tristes y Mara la atrajo hacia ella e intercambiaron confidencias en voz baja.

—¡Eh, tú; Antoñito! —dijo la patrona—. Baila un ratico para los señores.

El chico se enjugó delicadamente el sudor. El guitarrista templaba las cuerdas con la pierna apoyada en una silla y arrancó con un fandango. Los clientes del bar formaron anillo en torno a nosotros. Junto a las cajas vacías del fondo había varios hombres vestidos con sus ropas de

167

trabajo y Miguel se aproximó a ellos y les invitó a beber manzanilla.

—Gracias, compadre —dijo un tipo rubio. Sonreía luciendo los dientes y levantó el vaso—. A su salud y a la de los señores. Por Cataluña.

—¿De dónde son ustedes? —pregunté.

—Los tres somos asturianos, menos éste. Es de Galicia.

La dueña trajo varias botellas de Moriles y los asturianos se acomodaron en nuestra mesa y observaban a las mujeres excitados. Durante largo rato el bailarín se contorsionó en medio de los aplausos burlones del público. Los invitados de Miguel andaban también entre dos velas y uno me pasó el brazo por el cuello y dijo que trabajaban en el muelle de eventuales.

—Las chavalas esas, ¿son amigas suyas?

—Sí.

—Qué buenas están. Tenemos a las parientas fuera, ¿sabe usted?

La manzanilla disminuía con rapidez. Miguel no paraba de llenar vasos y la dueña descorchó otras dos botellas. Mi vecino me susurraba secretos al oído y cerré los ojos. Cuando los abrí, Luis roncaba en la silla del rincón y uno de los asturianos enseñaba sus bíceps a Luci y se obstinaba en quitarse la camisa para mostrarle sus tatuajes.

—Toque —decía—. Toque sin cuidado.

Luego —por un motivo desconocido— Mara riñó agriamente con Miguel. Se insultaban los dos a media voz y salí a orearme a la calle.

—Estoy harta, Bruno... Te juro que no puedo más.

Mara había venido tras de mí con los ojos enrojecidos y la tomé entre mis brazos. El suelo cedía bajo mis pies. La empujé contra un portal y aplasté mis labios sobre los suyos.

—No —dijo ella—. No. No.

Se desprendió con violencia y me dio la espalda. Por el temblor convulsivo de sus hombros comprendí que lloraba de nuevo.

—Estoy enamorada de Miguel —dijo con voz velada—. Me mataría antes que causarle el menor daño.

Había dejado escurrir las manos y sacó un pañuelo de la falda. El anuncio luminoso de un cine la perfilaba con claridad.

—No lo estropees todo, Bruno... Prométeme que no volverás a hacerlo.

Una banda de jóvenes con gorritos y narices postizas corría arrojando petardos y uno sonó una corneta de papel junto a mi oído. El cielo de la calle empezaba a clarear. Mara se había eclipsado de repente y erré por el barrio hasta cansarme.

Cuando di con ella estaba en las Ramblas con los demás. Gloria había subido a un 403 con las amigas de Alain y los asturianos, y me gritó desde la ventanilla que iban a ver el amanecer en el rompeolas.

—Os esperamos allí —dijo.

El trayecto de retorno al Mas fue larguísimo. Jorge conducía haciendo eses y Miguel fumaba pálido y trasojado. Mara guiaba el Dofín, con los otros. En cada travesía el alba proyectaba una luz lívida sobre los vestigios de la sanjuanada. La gente paseaba aún con gorritos, pero los bares cerraban poco a poco y, en la calle mayor del pueblo, oímos repicar campanas y vimos varios grupos de mujeres que se encaminaban apresuradamente a la iglesia.

Horas más tarde —como por un fenómeno de contagio eléctrico— la pelea resurgió entre las dos familias de colonos. En la duermevela percibí lamentaciones e insultos y, al levantarme a abrir los postigos, Damiana y la hermana mayor de Lolita se aspaban a gritos en medio de la era y amagaban llegar a las manos. Detrás de ellas, los familiares se agrupaban como calibrando sus fuerzas respectivas. Los niños asistían a la escena diminutos y ávidos. Los perros ladraban excitadamente. Con los brazos cruzados sobre el pecho, José parecía mustio y abatido.

Jorge se duchaba en el cuarto de baño y me aclaró que andaban así desde hacía a lo menos tres horas. Las razones de la pelotera eran bastante oscuras. Una mueca burlona en el lavadero, según unos, un empellón de Damiana, según otros. «Damiana y la vieja azuzaban a los hombres para que intervinieran, dijo. Miguel ha tenido que bajar a calmarles.»

La cabeza me dolía a causa de la resaca y subí a tomar el sol al sequero. Aquella mañana no corría ni un soplo de aire. El ruido de aserrar de las cigarras se confundía con el zumbido de las abejas del madroño y, en varias ocasiones, me chapucé en el estanque y permanecí largo rato inmóvil, boyando a flor de agua.

Dora y Jorge vinieron a bañarse antes de comer. Cuando bajé a la terraza, José se acercaba por el camino. Iba descalzo y con los pantalones remangados a media pierna. Al divisarme sonrió con gesto confuso.

—¿Has oído los gritos? —preguntó.

Contesté afirmativamente y él encendió la colilla que mantenía apagada entre los labios y dijo que las mujeres andaban siempre a dares y tomares y se picaban las crestas por cualquier nadería.

—Me agradaría saber en qué lugar tienen el cerebro —exclamó—. Desde luego, no en la cabeza.

Álvaro y Miguel bebían Perelada en la peletería. Mara escuchaba el disco de Marlene y me comunicó que tenía carta de Régine.

—Hijo, no sé qué das a tus mujeres... Parece que no puedan vivir sin ti.

Mientras buscaba entre las fundas de los discos llevó la conversación a Gloria. A todas luces se había cebado en ella durante mi ausencia y afirmó que la encontraba guapísima.

—Tiene un tipo espléndido, ¿no os parece?

Hubo un silencio. Miguel tecleaba con los dedos en la mesa y Álvaro dijo que no le gustaba.

—¿No? —dijo Mara—. ¿Por qué?

—No sé. Es una cuestión de piel. A mí no me dice nada.

—Naturalmente, yo no puedo opinar como vosotros; pero si interesa a un catador como Bruno, imagino que será por algo.

Mara sonreía con malicia y expliqué que Gloria pertenecía a esa clase de muchachas que sueñan en un príncipe para casarse.

—No desvíes la conversación —dijo ella—. A ti te gusta.

—A Bruno le gusta cualquier cosa —terció Miguel—. Con tal que lleve faldas, se enamora hasta de un espantapájaros.

Régine decía que su padre se había restablecido y me pedía que regresara a París el jueves. Su energía obró el milagro de sacudirme de mi torpor. Envié un telegrama a Blaye inmediatamente y telefoneé a las oficinas de Iberia para reservar un asiento en el vuelo de la mañana.

Después de comer, Miguel y Mara se encerraron en su habitación y dormí de un tirón toda la tarde. Al levantarme tenía la garganta seca y las sienes me punzaban. El picú funcionaba solo en la galería. Dora paseaba melancólicamente por el jardín.

—¿Damos una vuelta? —propuso.

Caminé con ella bajo los alcornoques y hablamos de las concepciones teatrales de Brecht y Stanislavsky. La idea de que cuarenta y ocho horas después estaría lejos de allí me entristecía profundamente. Sobre la cima del Montnegre había una lista de nubes rosas. El sol no había tramontado aún, pero corría un vientecillo ligero y la fresca era agradable.

De vuelta al Mas, la luz recortaba los grandes ventanales de la galería. Alain y sus amigas habían desembarcado con una docena de visitantes. El picú transmitía la voz de la Goyita y dos muchachas con camisa y pantalones tejanos bailaban el charlestón.

Desde el puentecillo oí gritar a una chica: «Mirad. Bebe coñac como los viejos... Está pasado de moda», y un tole de voces exigió: «Fuera, fuera.» Miguel y Mara se habían acostado en el diván y Miguel hablaba de modo febril, con la volubilidad que afectaba en público cuando quería seducir o comenzaba a estar borracho.

—Hace tiempo que intento explicarles que su enemigo de clase soy yo y deben aliarse contra mí, pero es inútil. Todos me encuentran encantador.

—Eso es verdad —dijo Mara. Se había inclinado sobre él y le besó impulsivamente en los labios—. Eres la persona más encantadora del mundo.

Durante unos momentos floté de grupo en grupo. Jorge había descorchado una botella de ginebra y ayudé a Dora a preparar los cuba-libres. En un extremo de la galería, un tipo de edad madura hablaba de un tal Juan Carlos, que había atropellado a un chiquillo con su automóvil y a quien la familia de la víctima reclamaba una indemnización de medio millón de pesetas. «¿Y sabéis qué ha respondido?, dijo. Imposible. Por este precio todas las madres del país se dedicarían a lanzar a sus hijos delante de los coches.» Hubo un coro de exclamaciones y me acerqué a Alain. Luis bailaba con la estudiante teñida de la víspera. Luci se había sentado en un cojín por el suelo y refería a Álvaro el final de la verbena.

—Vuestros asturianos resultaron unos brutos de marca. Figúrate que cuando subieron al coche querían llevarnos a un descampado.

—Alain estaba de acuerdo —dijo la otra—. El muy traidor.

—Luci y Nuria son dos esnobs incorregibles. Para violarlas es preciso haber leído a Robbe-Grillet.

—El tipo que iba a mi lado no paraba de pellizcarme. Decía: Si vienes conmigo nunca lo olvidarás.

—A lo mejor era verdad —dijo Alain—. En casos así, uno prueba.

—Hijo, ¿por qué no probaste tú?

—Porque nadie me lo propuso. ¿Crees que hubiera desaprovechado la ocasión?

—Fijaos en mi brazo. Todavía está lleno de morados.

—A mí, el de los tatuajes me quiso besar —dijo Nuria.

—Tú te insinuaste primero. —Alain se expresaba con voz de falsete—. Lo vi por el retrovisor.

Las muchachas protestaron y pregunté qué había sido de Gloria.

—No lo sabemos. —Luci esbozó un ademán de impotencia—. No me acuerdo absolutamente de nada.

Marlene Dietrich cantaba el fox de *Der blaue Engel*. Mara se quitó los zapatos para bailar y di unas vueltas con ella.

—Es una sorpresa que he reservado a Miguel —dijo—. El pobrecillo necesita ver gente. El trabajo le deprime tanto.

Era la primera vez que hablábamos sin testigos desde que la había besado en la calle y dije que lamentaba lo sucedido.

—Los hombres sois unas criaturas —suspiró—. Miguel, tú, Jorge... Me tenéis aburrida, te lo juro... —Mara apoyaba la frente en mi mejilla y mudó de entonación de voz—. El domingo vamos a Tossa. Las alemanas están desatadas con los pescadores. Jorge dice que hay mucho ambiente...

Cuando le repliqué que no podía ir, retrocedió la cabeza unos centímetros, justo para mirarme.

—¿No?

—Me voy pasado mañana. Régine me espera en París. Ya he reservado el billete.

—Yo creía que hablabas en broma... —Su sorpresa parecía sincera.

—No, Mara. No puedo quedarme más tiempo.

—Eres odioso. Ahora que empezaba a estar bien contigo, vas y te largas. Miguel se pondrá hecho una furia.

Acabado el disco, me acomodé en el suelo con los

demás. La conversación me había dejado un sabor amargo en la boca. Lolita iba de un lado a otro llenando vasos y reparé en que Luis la acompañaba a la cocina. «Es ahora o nunca, me confió Álvaro. Veremos qué ocurre.» A mi derecha una rubia de una treintena de años se quejaba de la vigilancia a que la sometía su marido. «Para engañarle tengo que buscar el niño al colegio. En vez de coger el tranvía, pago un taxi y Paco y yo podemos vernos veinte minutos, exactamente entre las seis y veinticinco y las siete menos cuarto... He de mentir a mi doncella, al portero, al ama... Algo terriblemente complicado, os lo aseguro... ¡Oh, terminaré siendo fiel por pereza!» Nuria tuvo un retozo de risa. «¿Veinte minutos os basta?», exclamó. Alain reía también y despachurró un cuento acerca de un escritor de Ginebra que tenía dos amigas, una rubia y una morena, y justificaba su ociosidad diciendo que el tiempo que le dejaban libre sus amores lo pasaba barriendo los cabellos rubios del piso cuando esperaba a la morena y los cabellos negros cuando esperaba a la rubia. «¿Por qué no le buscas una pelirroja en prima?», dijo Luci. Sus despropósitos me aburrían y salí al jardín.

La luna bogaba como un globo sobre los eucaliptos. Las ranas croaban en el estanque y distinguí unas sombras en la glorieta. Al aproximarme identifiqué a Miguel y Jorge con varios jóvenes que no conocía. Una voz de barítono aseguraba que el paisaje mediterráneo no le producía ni frío ni calor: «Yo soy de la Meseta, de la tierra del álamo. No puedo comprender el olivo.» Otro repuso que prefería la luz de Ibiza y deduje que se trataba de dos pintores.

Poco a poco, los demás vinieron a reunirse con nosotros. Mara y las mujeres se habían apoltronado en los divanes de la galería y reían excitadamente. «Nos están poniendo verdes, dijo Luis. Yo quería intervenir y me han echado fuera.»

—Hagamos lo mismo —dijo Álvaro—. Critiquémoslas.

Su proposición cayó en el vacío y, por tiempo interminable, los pintores discutieron respecto a los méritos comparados de la esfera y el cubo. El de la Meseta ensalzaba la estructura simple y la voluptuosidad de las aristas; su compañero, la forma generosa, entrañablemente maternal de la esfera. Miguel callaba, sombrío y taciturno, al borde de una de sus explosiones de cólera. En la otra vertiente del valle, unas lucecillas se encendían y apagaban a intervalos y, de improviso, se encaró conmigo y las señaló con el dedo.

—Deben de ser Luciano y su familia —murmuró—. Están buscando caracoles.

—¿Por qué no vamos con ellos?

Miguel ladeó la cabeza. El albedo de la luna iluminaba tenuamente sus facciones y sentí como nunca la nostalgia de nuestra bella —desaparecida— amistad.

—Tienes razón —dijo—. A lo menos los caracoles son reales. Si no los comen, pueden venderlos en el pueblo. Aquí, intentamos cazar fantasmas.

Nos habíamos entendido sin necesidad de discursos y, al llegar al puentecillo, sonrió tristemente y me deseó las buenas noches.

Como alma en pena, vagué del jardín a la galería con la esperanza de una explicación sincera con Mara, pero los amigos de Alain me lo impidieron. Al agotarse la ginebra, Jorge inventó una mezcla endiablada y, a medianoche, la banda subió a remojarse al estanque. Desde la terraza oía sus chapoteos y gritos, y decidí seguir el ejemplo de Miguel. Cuando apagué la luz, entorné la puerta del pasillo. Confiaba en que Mara vendría y no me dormí hasta muy tarde.

El último día, una fiebre inhabitual agitó todo el Mas. Las puertas se abrían y cerraban con violencia y, medio en sueños, percibí la voz aguda de Dora y un rumor de pasos atropellados. Haciendo un esfuerzo, me levanté a ver qué pasaba. Damiana sollozaba en la cocina y me comunicó que Armando estaba en la calle.

Jorge y las mujeres habían ido a recogerle en el Dofín y subí al Antro a abrazar a Miguel. Las lágrimas le corrían por la cara brillantes e incontenibles. Su rostro había recobrado la expresión huérfana de la niñez y, con una acuidad que me sorprendió a mí mismo, medí los límites de nuestro desamparo —de Miguel y mío y de Mara— frente a las ofensas de la vida.

—Bueno —dijo—. Habrá que buscar otro pretexto.

Miguel hablaba muy paso y alumbró calmosamente un cigarrillo.

—Hoy por hoy, la fiesta ha terminado.

ÍNDICE

Primera 9

Segunda 29

Tercera 65

Cuarta 109

BIBLIOTECA BREVE DE BOLSILLO

Libros de Enlace

1. Mario Vargas Llosa. La ciudad y los perros
2. J. L. Aranguren. La juventud europea y otros ensayos
3. Hans Erich Nossack. Lo más tarde en noviembre
4. Marguerite Duras. El amante
5. Marguerite Duras. Hiroshima mon amour
6. Max Frisch. Homo Faber
7. Giorgio Bassani. El jardín de los Finzi-Contini
8. André Pieyre de Mandiargues. La motocicleta
9. Cesare Pavese. La pena
10. John Tazmann y otros. Nazismo
11. Miguel de Cervantes. Don Quijote de la Mancha. I parte
12. Miguel de Cervantes. Don Quijote de la Mancha. II parte
13. Choderlos de Laclos. Las amistades peligrosas
14. Pablo Gil Casado. La novela social española
15. Vladimir Nabokov. El hechicero
16. A. Covisa... Ideas catalanas representativas
17. Herbert Marcuse. Eros y civilización
18. R. L. Stevenson. La isla del tesoro
19. H. M. Enzensberger. Política y delito
20. T. S. Eliot. Función de la poesía y función de la crítica
21. Herman Sudermann. Doctor Class
22. Peter Weiss. La sombra del cuerpo del cochero
23. Henry Fielding. Amelia Booth
24. Herbert Marcuse. El hombre unidimensional
25. Arthur Waley. Vida y poesía de Li-po

BIBLIOTECA BREVE DE BOLSILLO

LIBROS DE ENLACE

1. MARIO VARGAS LLOSA, *La ciudad y los perros.*
2. J. L. L. ARANGUREN, *La juventud europea y otros ensayos.*
3. HANS ERICH NOSSACK, *Lo más tarde en noviembre.*
4. MARGUERITE DURAS, *El square.*
5. MARGUERITE DURAS, *Hiroshima mon amour.*
6. MAX FRISCH, *Homo Faber.*
7. GIORGIO BASSANI, *El jardín de los Finzi-Contini.*
8. ANDRÉ PIEYRE DE MANDIARGUES, *La motocicleta.*
9. CESARE PAVESE, *La playa.*
10. JOHN TAKMANN y otros, *Napalm.*
11. MIGUEL DE CERVANTES, *Don Quijote de la Mancha, I parte.*
12. MIGUEL DE CERVANTES, *Don Quijote de la Mancha, II parte.*
13. CHODERLOS DE LACLOS, *Las amistades peligrosas.*
14. PABLO GIL CASADO, *La novela social española.*
15. VLADIMIR TENDRIAKOV, *El tres, el siete y el as.*
16. J. A. GOYTISOLO, *Poetas catalanes contemporáneos.*
17. HERBERT MARCUSE, *Eros y civilización.*
18. R. L. STEVENSON, *La isla del tesoro.*
19. H. M. ENZENSBERGER, *Política y delito.*
20. T. S. ELIOT, *Función de la poesía y función de la crítica.*
21. HJALMAR SÖDERBERG, *Doctor Glass.*
22. PETER WEISS, *La sombra del cuerpo del cochero.*
23. HENRY FIELDING, *Amelia Booth.*
24. HERBERT MARCUSE, *El hombre unidimensional.*
25. ARTHUR WALEY, *Vida y poesía de Li-Po.*

26. ALEJO CARPENTIER, *El reino de este mundo.*

27. ROGER CAILLOIS, *Instintos y sociedad.*

28. PETER WEISS, *Conversación de los tres caminantes.*

29. JAN MYRDAL, *Una aldea de la China popular.*

30. JOSÉ M.ª CASTELLET, *Lectura de Marcuse.*

31. RICHARD HOFSTADTER, *La tradición política americana.*

32. NORMAN LEWIS, *La virtuosa compañía (La mafia).*

33. E. T. A. HOFFMAN, *Cuentos fantásticos.*

34. P. A. QUARANTOTTI GAMBINI, *El caballo Trípoli.*

35. FRANCISCO MANUEL DE MELO, *Guerra de Cataluña.*

36. MAX FRISCH, *No soy Stiller.*

37. ALAN SILLITOE, *La soledad del corredor de fondo.*

38. LORENZO VILLALONGA, *Bearn.*

39. MICHEL BUTOR, *La modificación.*

40. ALAIN ROBBE-GRILLET, *El mirón.*

41. REIMUT REICHE, *La sexualidad y la lucha de clases.*

42. SLAWOMIR MROZEK, *El elefante.*

43. ITALO SVEVO, *La conciencia de Zeno.*

44. HENRY MILLER, *El coloso de Marusi.*

45. BARROWS DUNHAM, *Héroes y herejes I.*

46. BARROWS DUNHAM, *Héroes y herejes II.*

47. DANIEL DEFOE, *El año de la peste.*

48. WILLIAM BECKFORD FONTHILL, *Vathek.*

49. JUAN MARSÉ, *Encerrados con un solo juguete.*

50. JOANOT MARTORELL i MARTÍ JOAN DE GALBA, *Tirant lo Blanc I.*

51. JOANOT MARTORELL i MARTÍ JOAN DE GALBA, *Tirant lo Blanc II.*

52. ANATOLI LUNACHARSKI, *Las artes plásticas y la política artística de la Rusia revolucionaria.*

53. H. C. F. MANSILLA, *Introducción a la teoría crítica de la sociedad.*

54. MARIE DELCOURT, *Hermafrodita.*

55. ORIOL BOHIGAS, *Contra una arquitectura adjetivada.*
56. ANDRÉ GIDE, *Los monederos falsos.*
57. CARMEN MARTÍN GAITE, *Ritmo lento.*
58. ROBERT MUSIL, *Las tribulaciones del estudiante Törless.*
59. HERMAN MELVILLE, *Las encantadas.*
60. JUAN BENET, *Puerta de tierra.*
61. GAJO PETROVIC, *Marxismo contra stalinismo.*
62. CARLO CASSOLA, *Fausto y Anna.*
63. LORENZO VILLALONGA, *Las tentaciones.*
64. HEINRICH BÖLL, *Billar a las nueve y media.*
65. A. ELJACH, *Vietnam 1940-1970.*
66. HENRY JAMES, *Washington Square.*
67. MARGUERITE DURAS, *Días enteros en las ramas.*
68. F. L. CARSTEN, *La ascensión del fascismo.*
69. FRANCESC TRABAL, *Vals.*
70. SERGUÉI A. KRUTILIN, *Lluvia de primavera.*
71. G. CABRERA INFANTE, *Tres tristes tigres.*
72. MAX AUB, *La calle de Valverde.*
73. JUAN MARSÉ, *Esta cara de la luna.*
74. LUIS GOYTISOLO, *Las afueras.*
75. ALFONSO GROSSO, *Testa de copo.*
76. MARGUERITE DURAS, *Una tarde de M. Andesmas.*
77. HEINRICH BÖLL, *Casa sin amo.*
78. CARLO CASSOLA, *Un corazón árido.*
79. HENRY JAMES, *Las bostonianas.*
80. P. A. QUARANTOTTI GAMBINI, *La estela del crucero.*
81. JORGE EDWARDS, *El peso de la noche.*
82. ILIÁ EHRENBURG, *Julio Jurenito.*
83. SERGIO PITOL, *Infierno de todos.*
84. TERENCI MOIX, *Crónicas italianas.*
85. MARQUÉS DE SADE, *La marquesa de Gange.*
86. JUAN GOYTISOLO, *Fin de fiesta.*

87. ANTONIO MARTÍNEZ-MENCHÉN, *Cinco variaciones.*
88. FRANCISCO AYALA, *Cazador en el alba.*
89. NIKOLAI V. GOGOL, *Las almas muertas.*
90. LEONID M. LEÓNOV, *Los tejones.*
91. NÉSTOR SÁNCHEZ, *Nosotros dos.*
92. CLAUDE OLLIER, *Garantía de orden.*
93. V. P. KATÁIEV, *Los malversadores.*
94. LUIS CERNUDA, *Poesía y literatura, I y II.*
95. ALAIN ROBBE-GRILLET, *La doble muerte del profesor Dupont.*
96. ALFONSO GROSSO, *Germinal y otros relatos.*
97. ADRIANO GONZÁLEZ LEÓN, *Hombre que daba sed.*
98. BALTASAR PORCEL, *Los catalanes de hoy.*
99. HEINRICH BÖLL, *El pan de los años mozos.*
100. HENRY JAMES, *Lo que Maisie sabía.*
101. ALFONSO GROSSO, *Guarnición de silla.*
102. ROBERT GRAVES, *Adiós a todo eso.*
103. OCTAVIO PAZ, *Las peras del olmo.*
104. FRANCISCO AYALA, *Los usurpadores.*
105. LEO NAVRATIL, *Esquizofrenia y arte.*
106. FRANCISCO AYALA, *Historia de macacos.*
107. TERENCI MOIX, *La torre de los vicios capitales.*
108. FRANCESC TRABAL, *Judita.*
109. BASILIO LOSADA, *Poetas gallegos contemporáneos.*
110. YEVGUENI I. ZAMIATIN, *Nosotros.*
111. LILLIAN HALEGUA, *La ahorcada.*
112. EDGAR MORIN, *El cine o el hombre imaginario.*
113. ANTON CHEJOV, *Mi vida.*
114. MONIQUE LANGE, *Rue d'Aboukir.*
115. S. SERRANO PONCELA, *Un olor a crisantemo.*
116. ALFONSO GROSSO, *Un cielo difícilmente azul.*
117. MARÍA TERESA LEÓN, *Menesteos, marinero de abril.*
118. MICHAEL FRAYN, *Una vida muy privada.*

119. Henry Green, *Amor*.

120. Robert Graves, *Siete días en Nueva Creta*.

121. Gustave Flaubert, *Tres cuentos*.

122. Boris de Schloezer y Marina Scriabine, *Problemas de la música moderna*.

123. Juan Goytisolo, *Campos de Níjar*.

124. Antonio Ferres y Armando López Salinas, *Caminando por Las Hurdes*.

125. Manuel Zapata Olivella, *En Chimá nace un santo*.

126. Hans Egon Holthusen, *El buque*.

127. Alfonso Grosso, *El capirote*.

128. Julián Ayesta, *Helena o el mar del verano*.

129. José Bergamín, *Antes de ayer y pasado mañana*.

Impreso en el mes de junio de 1978
en I. G. Seix y Barral Hnos., S. A.
Avda. J. Antonio, 134-138
Esplugues de Llobregat
(Barcelona)